南雲吉則

JN284163

50歳を超えても30代に見える生き方

「人生100年計画」の行程表

講談社+α新書

まえがき――「二〇歳」の若返りを実現した究極の方法

　私たちは、隣にゴミの焼却場ができるとダイオキシンによる健康被害を恐れて抗議をします。しかし、毎年何万人もの人が喫煙や肥満などの生活習慣が原因で亡くなっていることには真剣に向き合おうとしません。

　それは現代の医学にも責任があります。病気を治療することばかりに終始し、病気を予防することを怠《おこた》ってきたからです。

　仏教には「因果《いんが》」という言葉があります。それは、この世の中のあらゆる出来事には原因があり、不幸になることも自分が作り出した結果にほかならないということ。だから、不幸であることをことさら悲しみ、運命を呪《のろ》うのではなく、自らの心と行いを正すことが大切であると説いています。

　これは極めて科学的な考え方です。病気になったときも、それをただ悲しみ呪うだけではなく、それまでの生活習慣を見直すことが大切であるからです。

それができなければ、たとえ一命を取りとめても病気は再発をして、あなたの命を奪うことになるでしょう。病気を憎むのではなく、病気を起こした行い、その行いを起こした心を改善していかなければなりません。この考え方こそが、「いつまでも若く美しく健《すこ》やかな人生」を送るための極意なのです。

「若さ」とは、実年齢のことをいっているのではありません。

心の年齢なのです。二〇代にして心が元気を失い、意欲が衰えてしまっていれば、その人はひどく老けた印象になるでしょう。逆に七〇代になっても夢を持ち、生きていることに感謝し、毎日を喜んで過ごしている人は若々しく見えます。

「美しさ」とは、お化粧や服飾で飾った外観のことではありません。化粧を落としたあとの素顔、矯正《きょうせい》下着を取り去ったあとの裸の美しさ、つまり、内面の健康の表れです。真の健康なくして真の美しさは生まれません。

「健やか」であることは、いま病気でないことではありません。いま病気でなくとも喫煙や暴飲暴食、不規則な生活を送っている人は、病気の予備群、つまり「未病」の状態にあるのです。逆にいま病気を患っていても、生活習慣を一新させた人は健やかな状態にあるといえるでしょう。

この三位一体を「心・美・体」といいます。お相撲さんならば「心・技・体」ですが、いつまでも若々しく生きていくためにはこの三つの要素が大事になります。

この三つが調和したとき、私たちは初めて本当の健康が手に入れられます。その結果、「不老長寿」の人生が実現するのです。

一昔前までは「人間五〇年」といわれていました。

詳しくは本書でお話ししていきますが、地球上のあらゆる生物は生殖年齢の終了とともに生を終えるようにセットされています。ヒトも五〇歳ぐらいで閉経することからわかるように、本来ならば「人間五〇年」だったのです。それが、戦後、栄養状態の改善と医学の進歩によって日本人の寿命は飛躍的に延び、またたく間に世界一の長寿国になりました。

しかし、いまのままでは不老長寿は夢のまた夢です。栄養状態の改善は「飽食」へと変化し、医学の進歩は「生活指導のない治療医学」に陥《おちい》っているからです。やがて日本は世界一の生活習慣病国になるでしょう。

病気や老化、死を恐れる人は、いま真の「教え」を求めています。

そして、ある教えに出会ったとき、「なぜそうすればいいのか」と尋ねます。

「伝統医学」では、「それは昔からの言い伝えだ」といいます。しかし、その言葉だけではなかなか納得ができないでしょう。

また、「経験医学」では、「多くの人に試してみて効果があったから」といいます。しかし、それは一部の人に合っていただけかもしれず、自分の抱えている苦しみを救ってくれるとはかぎりません。

「実証医学」では、「科学的にその効果が証明されているから」といいます。しかし、それは医学の権威を笠に着た横柄《おうへい》な態度にほかなりません。

どの医学の姿勢にも大事な面はありますが、一つ一つを取り出しても、その人の生活習慣を変えることはできません。

この三つの医学が一つになった、「三位一体」が必要なのです。

健康や美容について医者が説くのならば、この三位一体を前提にしつつ、「生活習慣」と「病」との関係をもっとわかりやすく、納得のいくように説明しなければなりません。それが十分にできないのならば、その医者は健康に生きるとはどういうことなのか、よくわかっていないといっていいでしょう。


本書では、「伝統」「経験」「実証」の三位一体を意識しつつ、先人たちが積み重ねてきた教えを検証し、その真意をやさしく解説することを心がけました。

「やさしく」といっても、軽薄ではなく「深く」

「深く」といっても、退屈ではなく「楽しく」

「楽しく」といっても、おふざけではなく「真面目に」


私は二〇一一年で五六歳になります。あと数年でもう還暦に手が届く年齢です。

でも、私に初めて会った人は「とてもそんな年齢に見えない！」といいます。実際、自分の体の各部分の「年齢」を調べてもらったところ、

脳年齢……三八歳　骨年齢……二八歳　血管年齢……二六歳

という驚きの結果が出ました。私の肉体は、実年齢よりもゆうに二〇歳以上も若いことがわかったのです。

もちろん、こうした数字を挙げなくても、肌つやはよく、ウェストはくびれ、体はつねに軽やか。体重は一五キロ減り、おなかの脂肪ともおさらばできました。

二〇年前の自分と比べても、気力や体力が衰えたという実感はまったくありません。い

や、いまのほうがずっと元気なくらいです。

そんなビックリするような「若返り＝アンチエイジング」をどうやって実現させたのか？ なにか特別なことを実践してきたのか？

いいえ、そんなことはありません。私がやってきたことは、「食事の内容と生活習慣を変える」ということ、ただそれだけです。

それなりに努力はしましたが、あくまでも日常生活の延長上のこと。お金や時間を特につぎ込んだわけでもありません。

この本を通じて、いつまでも「若く」「美しく」「健やか」でいられるための秘訣をぜひつかみ取ってください。それが、本書のタイトルである『50歳を超えても30代に見える生き方』につながっていきます。

決して難しいものではありません。皆さんもこうした生き方を心がけ、本当の意味でのアンチエイジングを実現させてください。

二〇一一年一〇月

南雲吉則《なぐもよしのり》

20年前の著者

今の著者

目次◉50歳を超えても30代に見える生き方

第四章　免疫を高め過ぎてはいけない！

第五章　「老い」にも「病気」にも意味がある！

第六章　細胞から若返る食事術

第七章　二〇歳若返るシンプル生活術

第一章　アンチエイジング実現の条件

あなたの健康年齢は何歳?

アメリカ・ピッツバーグ大学のバーナード・コーエン教授が、生活習慣と寿命の関係について非常に興味深いデータを発表しています。

このデータによると、喫煙を続けるだけで約二二〇〇日、つまり約六年も寿命が縮んでしまうのだそうです。三五パーセントの体重増加でも同じく約六年、意外なところでは独身生活が続くだけでも男性で約三〇〇〇日(約八年)、女性で約一六〇〇日(約四年)も寿命が縮むといいます(図表1を参照)。

もともと放射線の強い場所で働いたり、原子力発電所の近くに住んでいたりすることが寿命にどう影響するかを目的に調査されたものですが、寿命を縮めるという点では、こうした放射線の害よりも、喫煙や体重増加、あるいは独身生活を続けることのほうがはるかに上位であることがわかったのです。

喫煙や体重増加はともかく、独身のままだと寿命が縮んでしまう? こういうと驚く人も多いかもしれません。しかも、女性よりも男性のほうが、その傾向がずっと強い? のちほどお話ししますが、もちろんこれには理由があります。男性にとって異性とスキンシップすることは、健康長寿の秘訣でもあるのです。

図表1　生活習慣によって寿命は縮む

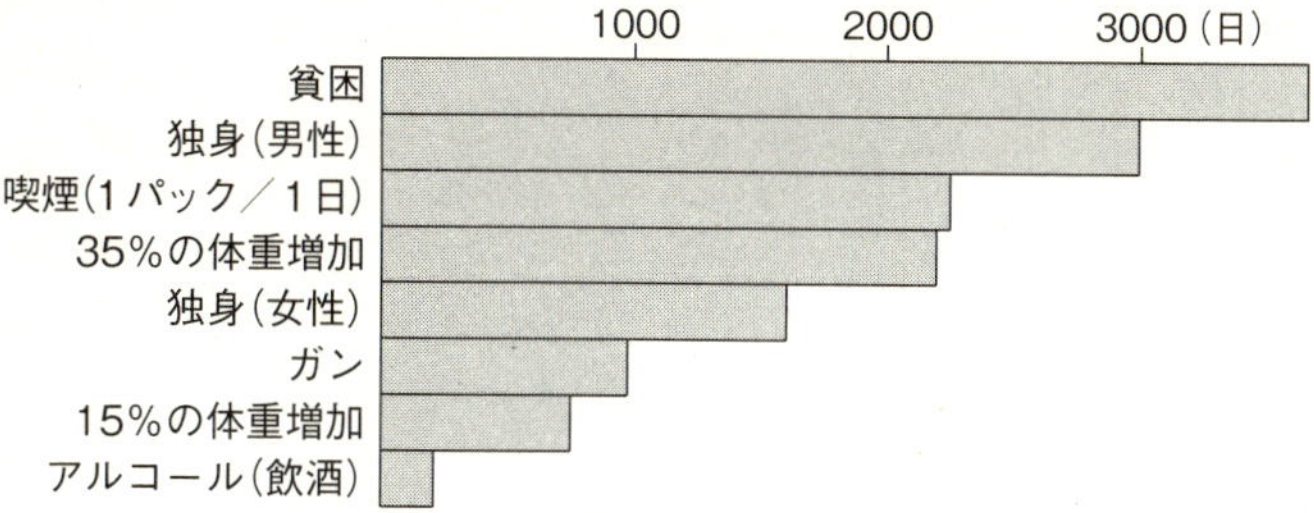

アメリカ・ピッツバーグ大学のバーナード・コーエン教授が行った「生活習慣と寿命短縮日数」に関する調査データより抜粋

ともあれ、自分の「本当の寿命」を知る一つの目安として、このデータに挙げられている項目をいくつか並べてみてください。

まず、肥満は六年寿命が縮みます。タバコを吸っている人も六年。これらに該当する人は、自分の年齢にそれぞれ六歳を足してみてください。二つ該当するなら一二歳です。

それから、独身の男性はさらに八歳を、独身の女性は四歳を足してください。ほかにも夜《よ》更《ふ》かしなどで睡眠が不規則な人は四年、暴飲暴食をしている人も四年縮みます。ですから、それぞれ該当する人は四歳ずつ足してみましょう。

もう一つ注目したいのは、「貧乏な人」です。

昔は、朝早くから畑を耕したり、薪《まき》を割ったりして牛馬のごとく働いて、食べるものといえば雑穀やイモという「農村型の貧乏」が中心でしたが、「飽食」「運動不足」の現代にとってこうした貧乏は理想的な生活です。

ここで問題となるのは、都会に住んでいながら定職に就かず、生活が不規則で、袋菓子やコンビニの弁当で毎日を過ごしている人です。こうした「都市型の貧乏」の人は、三六〇〇日（約一〇年）寿命が縮んでしまいます。

当てはまる項目を足していったとき、あなたの健康年齢は何歳になりましたか？

もしあなたが独身男性で肥満でタバコも吸っているとしたら、実年齢が三〇歳でも、健康年齢は「五〇歳」だということです。さらに、定職に就かずに夜更かしをし、暴飲暴食をすれば、健康年齢は六八歳。平均寿命と比較してもあと一二年で死ぬ計算になります。じつは、かつての私もこうした生活を送っていたのです。

「人生百年計画」とは何か

私は、昭和三〇年に医者の家の四代目に生まれました。

初代の曾祖父《そうそふ》の名前は「吉平」。医者になる前は「きちへい」といったのですが、それでは威厳がないというので自分で「よしひら」と呼び方を変えました。野口英世《のぐちひでよ》と同じ済生学舎《さいせいがくしゃ》という医学専門学校（現在の日本医科大学）を出ています。

二代目は「吉恵《よしえ》」。女のような名前ですが、旧制金沢大学医学部を卒業して医者になった、非常に厳格な人だったそうです。

三代目は私の父。昭和の生まれなので「吉和《よしかず》」。東京慈恵会医科大学を出て、日本の「美容外科」という標榜《ひょうぼう》科目を作った四人組の一人です。

そして私が「吉則《よしのり》」。父が「吉和」、母が「のり」だったので、合わせて「吉則」です。やはり慈恵医大を出ました。

私の長男は「吉祥《よしあき》」。彼も医者になりました。

おわかりでしょうが、長男にはみんな「吉」の字がついています。つまり、この字がつくと、跡取りとして医者にならなくてはならない。ほかの職業を選べないのですから、これはかなりのプレッシャーです。

間違って東京大学の文学部などに入ったりしたら、親戚一同から「あの子は勉強ができなかったから」とか「あの子の代で家がつぶれた」などといわれてしまう。なにせ親戚の男はみんな医者、女はみんな医者の奥さんなのですから。

ただ、たとえ医者になったとしても、若いうちは大学の医局で兵隊のようにこき使われます。いまでこそ一〇万円ぐらいの月給は出ますが、私の頃は月三万円でした。夜中も救急の対応をして、翌日、夜勤明けもなくまた手術に入るのです。食事は食べられるときにどか食いをして、病院の当直室で仮眠を取る。

まさに、「医者の不養生」を絵に描いたような毎日。

中年になるとようやく収入が増えていきますが、今度は会合・接待が毎晩続きます。若い頃のように食べて飲むものだから、完全なメタボです。

こうした生活を続けたせいで、父も祖父も心筋梗塞《しんきんこうそく》で倒れました。祖父が倒れたのは五二歳。そのまま他界してしまいました。

父が倒れたのは六二歳のときです。なんとか一命を取りとめたものの、その後も糖尿病や痛風など様々な病気に悩まされ、引退を余儀なくされました。

この五〇～六〇代が南雲家にとっての鬼門。四〇代にさしかかろうとしていた頃、自分の健康に不安を感じるようになりました。

当時の私は大きな病気をしていたわけではありませんが、一七三センチの身長で体重が七七キロもあり、腹回りには「まわし」のような脂肪がついていました。暴飲暴食は止まらず、隠れてタバコも吸っていました。

おまけにひどい便秘症。トイレで力むたびに不整脈になります。

なぜ不整脈になるか――。力むと頭に血が上ります。すると、頸動脈《けいどうみゃく》にあるバルサルバ洞という血圧を察知するセンサーが血圧を下げるように心臓に指令を送ります。これを、「バルサルバ洞反射」といいますが、指令を受けた心臓が急ブレーキをかけるので脈が不安定になって不整脈になるというわけです。

不整脈だけでは死にませんが、血液がうまく送り出されないで血管にたまると「血栓《けっせん》」という血のかたまりができます。これが肺に飛べば肺塞栓《はいそくせん》、脳にたまれば脳の血管が詰まって脳梗塞《のうこうそく》。死ぬか、助かっても半身不随です。

――このままでは自分も父や祖父と同じ運命をたどってしまう。さんざん働いて「人間五〇年」で終わりなのか……。

こうした危機感をおぼえた私は、一念発起《いちねんほっき》して健康管理に取り組むようになりました。五〇歳は人生の折り返し。そこから、若く美しく健やかな第二の人生をもう五〇年楽しむことを目標に、「人生百年計画」を立てたのです。

これが私のアンチエイジングの出発点です。

人生の節目はすべて決まっている

昔から男の二五歳、四二歳、六一歳。そして女の一九歳、三三歳、三七歳は厄年と呼ばれてきました。迷信だという人もいるかもしれませんが、こうした「人生の節目」は確かに存在しています。

たとえば、タケノコを思い浮かべてください。ご存じのように、タケノコは大きくなると立派な竹になりますが、面白いことにどの竹も種類によってだいたい高さは決まっていま す。よく日が当たったり肥料をやったりすれば、隣の竹よりも多少伸びるかもしれません が、それでも上限は決まっているのです。

また、竹の節目を数えてみると、高くても低くても数は同じ。低い竹は節目が少なくて、 高い竹は多いということもありません。

さらにタケノコを割って節目を数えてみてください。なんと大きな竹になったときと節目の数はまったく変わらないことがわかります。つまり、「生まれながらにして節目が決まっている」のです。

これは人間にも同じことが当てはまります。たとえば、背骨について考えてみましょう。 人間の背骨は頸椎《けいつい》から胸椎、腰椎、仙椎まで計三三個の骨で成り立っていますが、赤ちゃんも大人も数はまったく変わりません。

大人になって身長が伸びたので二個増えたとか、背が低いから二個少ないということはないわけです。また、いくら背が伸びても三メートルの人はいません。上限が決まっているのです。

こうした「節目」は体だけではなく、人生にもあります。厄年もその一つ。

私がよく紹介するのは、京都大学の元教授で数学者の故・森毅《もりつよし》先生が唱えた「二乗の仮説」です。一の二乗、二の二乗、三の二乗、四の二乗……と、数字を二乗しながら並べていくと、個々の数字が人生の重要な節目と不思議なくらい重なってきます。

たとえば、人生の起点になるのは一の二乗で一歳。生まれてから一歳までは「乳児期」と呼ばれ、お母さんのおっぱいを飲んで育ちます。

次が、二の二乗で四歳。ここまでは「幼児期」と呼ばれ、子供はいつも母親にくっついて生きています。

四歳を過ぎた頃からだんだん社会性が出てきて、一人で遊びに出かけたりするようになります。それが「小児期」、三の二乗で九歳くらいまで続きます。

一〇歳からは「思春期」。この頃から陰毛が生えてきたり、おっぱいが膨らんだり、生理が始まったりして、大人の男や女の体になってゆくのです。これを「第二次性徴」といい、この期間は体が大人になっても心はまだ子供というアンバランスに悩みます。

思春期は四の二乗＝一六歳くらいまで続きますが、実際、身長が伸びるのもこの年齢までで、一八歳になってから急に一〇センチ伸びたという人はいません。しかも、一六歳という年齢は縄文時代の平均寿命に当たります。

この時代に生まれた人はいわば一六歳が鬼門であり、この年齢を超えて生き延びられた強者だけが子孫を残すことができたのです。

平均寿命の延びには法則があった！

こうした「二乗の仮説」をもとに、さらに人生の節目を見ていきましょう。

五の二乗が二五歳。一般的に、一六歳から二五歳くらいまでは「青年期」と呼ばれていますが、じつはこの年齢を過ぎた頃から徐々に体の老化が始まっていきます。

たとえば女性の場合、一七～一八歳くらいが女性ホルモンの分泌のピークであり、二五歳くらいから減り始めます。そう、「お肌の曲がり角」なのです。ホルモンは肌の保湿や若返りに関係しているため、分泌が減ると肌が乾燥し、小ジワやシミができるようになります。それが老化のサインでもあるわけです。

この次が六の二乗で三六歳。ここまでが「若年期」に当たりますが、医学的に見た場合、この年齢を過ぎて以降がガンの好発年齢に当たります。これよりも若い人のガンが「若年性ガン」と呼ばれるのはそのためです。

続いて七の二乗が四九歳。女性でいうと、だいたいこの年齢までは生理があります。逆に五〇歳を過ぎるとほとんどの人が閉経し、子供が完全に産めなくなるわけですが、この年齢は終戦直後の平均寿命とも重なってきます。「人間五〇年」と昔からいいますが、じつは生殖可能な年齢でもあったのです。

図表2　「2乗の法則」でわかる人生の分岐点

1^2（1の2乗）=1	⇒	1歳まで（乳児期）
2^2（2の2乗）=4	⇒	4歳まで（幼児期）
3^2（3の2乗）=9	⇒	9歳まで（小児期）
4^2（4の2乗）=16	⇒	16歳まで（思春期）
5^2（5の2乗）=25	⇒	25歳まで（青年期）
6^2（6の2乗）=36	⇒	36歳まで（若年期）
7^2（7の2乗）=49	⇒	49歳まで（中年前期）
8^2（8の2乗）=64	⇒	64歳まで（中年後期）
9^2（9の2乗）=81	⇒	81歳まで（老年期）
10^2（10の2乗）=100	⇒	100歳まで（長寿期）
11^2（11の2乗）=121	⇒	121歳まで（自然死）

ちなみに、第三章で詳述しますが、人間を除く地球上のあらゆる動物が生殖年齢の終了とともに寿命になります。女性にとっても、卵巣から分泌される女性ホルモンに代わって、副腎からの男性ホルモン「アンドロゲン」に支配されるようになりますから、心身ともに大きな節目となることがわかるでしょう。

この次が八の二乗で六四歳。ここまでは「中年期」と呼ばれ、昭和三〇年頃の平均寿命と重なります。サラリーマンの定年は六〇〜六五歳くらいとされていますが、一昔前はこの年まで一生懸命働いて引退すると、ほどなく亡くなるようにできていた。だからこそ、定年とされていたわけです。

それがいまでは寿命が飛躍的に延びて、九の二乗で八一歳。男性の平均寿命が七九・六歳、女性が八六・四歳（二〇一〇年現在）ですから、足して二で割ると、これくらいが日本人の平均寿命になります。定年後の「余生」が長くなってしまったということです。

さらに、一〇の二乗が一〇〇歳。ここまでを「長寿期」といいます。現在、日本では一〇〇歳を超えた長寿者が約四万七〇〇〇人といわれています。

この長寿の上限が、一一の二乗で一二一歳。ここが人間の寿命の限界に当たります。

どんなに環境が変わってもタケノコの節目の数が変わらないように、これからどんなに医学が進歩しようが、国籍や性別を問わず、私たちの体はこの年齢になると自然死を迎えるようにできているのです。

女三〇代、男四〇代がリスク年齢

さて、こうした「二乗の仮説」をふまえると、人生の節目、節目を、いかに乗り切っていくべきか？　様々なヒントが見えてくるはずです。

まずポイントとなるのは、若年期から中年期へと切り替わる三六歳の頃の節目。

先ほど三六歳以降がガンの好発年齢であると述べましたが、実際、女性の乳ガンは三五歳から増え始め、女性ホルモンの影響で四〇代にピークを迎え、閉経すると減っていく傾向にあります。また、急増している子宮頸ガンも三〇代のガンといわれ、三五歳くらいが発症のピークとされています。

こうして見ていくと、女の三〇代は老化の始まりであると同時に、乳ガンや子宮頸ガン、卵巣ガン、甲状腺ガンの好発年齢にも当たります。子宮内膜症や子宮筋腫なども含め、いわゆる婦人病に悩まされやすくなるのもこの時期。女性にとって、三〇代が乗り越えなくてはならない鬼門に当たることがわかるでしょう。

これに対して男性は、四〇歳を過ぎたあたりから高血糖や高血圧、肥満などメタボリックシンドロームの諸症状が現れ始め、心臓病や脳卒中、ガンも含めた病気のリスクが増大する傾向にあります。若い頃の不摂生のつけがこの頃に回ってくるのです。

こうした点をふまえると、女性は三〇代の「厄年」さえ乗り越えられれば比較的長生きができますが、男性の場合、四〇代、五〇代、六〇代と非常に長い「厄年」のトンネルがあるのです。私自身がそうでしたが、四〇代は、その後の人生を健やかに過ごすための分岐点といえるでしょう。

では、どのように人生を見つめ直せばいいのか。人間はこの世に生を受けた以上、老化、病気、死と無関係でいることはできません。にもかかわらず、そのことを真剣に考えることはありません。

人はなぜ病気になり、なぜ老い、そしてなぜ死ぬのか？　お釈迦様が出家したきっかけともなった命題、「生老病死」について一緒に考えてみましょう。

細胞レベルで人生を考え直すと

まず、人がどのように生まれてくるのか考えてみたいと思います。

スタート地点はお父さんとお母さんが愛し合って、一つの生殖細胞が生まれることです。この生殖細胞が分裂を繰り返しながら胎児となり、十月十日《とつきとおか》（約一〇ヵ月）後にこの世に生まれます。

生まれてきた赤ちゃんの細胞は三兆個。私たち大人は五〇兆個。どうやって一個の細胞が短期間のうちにそんなに増えたかというと、細胞分裂によります。

細胞分裂というのは細胞が倍々に増えてゆく反応です。一個の細胞が二個に分裂し、二個が四個に、四個が八個、八個が一六個……と増えてゆきます。さて一〇回分裂すると何個の細胞になるかわかりますか。

答えは一〇二四個。おおよそ一〇〇〇個、一〇の三乗、〇が三つですね。

そんなまだるっこい増え方をしていて三兆個の細胞ができるのかと疑う人もいるかもしれませんが、できるのです。

計算していくとわかりますが、一〇回の分裂で〇が三つのサウザンド（一〇〇〇個）、二〇回の分裂で〇が六つのミリオン（一〇〇万個）、三〇回で〇が九つのビリオン（一〇億個）、そして四〇回で〇が一二個のトリリオン（一兆個）です。ほら、四〇回の分裂で、あっという間に一人の赤ちゃんの誕生です。

新聞紙を裂いては重ねて四〇回裂いたら、一兆枚の紙になってしまう。そう考えると、細胞分裂というのはすごく効率がいいことがわかるでしょう。

人の細胞はなぜ五〇兆あるのか

では、こうした細胞一個の大きさはどれくらいでしょうか？

答えは一〇ミクロン（〇・〇一ミリ）。腎臓でも肝臓でも甲状腺でも、すべて約一〇ミクロンです。ネズミの細胞でもゾウの細胞でも一〇ミクロン。ゾウは体が大きいから細胞も大きいなんていうことはありません。

なぜこの大きさなのかというと、細胞の構造を考えれば理解ができます。

細胞の中には、消化管もなければ血管もありません。細胞を覆《おお》っている細胞膜を通り抜けて中に入った栄養は、ゼリーのような細胞質の中をじわじわと染み渡るようにして広がっていきます。

あまり細胞が大きければ栄養をすみずみまで行き渡らせることができず、細胞はすぐに死んでしまうでしょう。要するに、取り込まれた栄養がすみずみまで行き渡る最大の大きさが一〇ミクロンなのです。

では、ネズミもゾウも細胞の大きさは同じはずなのに、なぜ体の大きさが違ってくるのか？　それは細胞の数が違うからです。ゾウのほうが細胞分裂の回数が多いため、その分、体も大きくなるのです。

細胞は一〇回分裂するたびに数は一〇〇〇倍に増えるので、体積と重さも一〇〇〇倍に増えます。それでは体積が一〇〇〇倍になったとき、一辺の長さは何倍になるでしょう。

答えは一〇倍。立方体の体積は「縦×横×高さ」ですよね。体積が一〇〇〇倍になると、縦、横、高さ、それぞれが一〇倍になるのです。

一個の細胞が〇・〇一ミリなら、一〇回の分裂で〇・一ミリ。二〇回で一ミリ。三〇回で一センチです。

一センチ角の立方体の体積は一立方センチ、つまり一ccです。一ccの水の重さは一グラムですから、三〇回分裂して一グラム。四〇回分裂したら細胞の数は一兆個、重さは一グラムの一〇〇〇倍で一キロ。私たちの体重は男女で平均すると五〇キロぐらいなので、一兆×五〇で五〇兆個ということになります。

人間の体は五〇兆個もの細胞で構成されるといわれていますが、これは一つ一つの細胞を数えたわけではありません。こうした計算で「だいたいそのくらいの数だろう」ということを割り出しているわけです。

問題はここからです。生殖細胞は母親のおなかの中で四〇回分裂すると一兆個・一キロになるといいましたが、生まれたあともこうした細胞分裂が続いたらどうなるでしょうか？五〇回分裂すると一トン、六〇回で一メガトンにもなるのです。とんでもない巨人になってしまいます。

これではとても生きていけません。そこで私たちの細胞には、一定回数の分裂をすると細胞が自然に死ぬ「命の導火線」が用意されています。じつはこの「命の導火線」に、健康で長寿に生きるための秘密が隠されているのです。

寿命は何によって決まるのか

この「命の導火線」に当たるのが、細胞の染色体の端にある「テロメア」という部分です。大事なポイントなので、もう少し詳しく解説しましょう。

マイケル・ジャクソンのＣＤは全世界で何億枚も作られていますが、いくらＣＤをたくさん作っても、中身が空っぽでは意味がありません。中に入っているマイケルの曲が正確にコピーされていることが大切です。

これと同様に、細胞分裂も、細胞という器だけをコピーしているのではありません。中の遺伝子という情報をコピーしているのです。

では遺伝子はどこにあるのでしょう?

細胞には核という目玉のような形の器官があり、この中に四六本の染色体が収まっています。染色体は二本のDNAのより糸でできていて、このDNAの中にさまざまな遺伝情報が書き込んであるのです。

さて、DNAはより糸だといいました。より糸はほつれる可能性があります。そうなるとDNAが絡まり合ったりちぎれたりして、遺伝情報が正しく伝えられなくなります。

皆さんが着ているパジャマやジャージのウエストにヒモが入っていますね。このヒモが洗っているうちにほつれないように、端っこはどうなっていますか。

答えは「結んである」。これと同様に、DNAの端にもほつれ防止の結び目がついていて、これが「テロメア」と呼ばれています。テロとはギリシア語で「端」、メアは「部分」、つまり「端っこの部分」という意味です。

さて、マイケルのCDは最初に作った原盤の情報を正確にコピーして全世界に配布されています。世界中どこで聞いても原盤と同じ内容です。コピーしていくうちに雑音が入ったり

図表3　寿命のカギを握る「テロメア」とは？

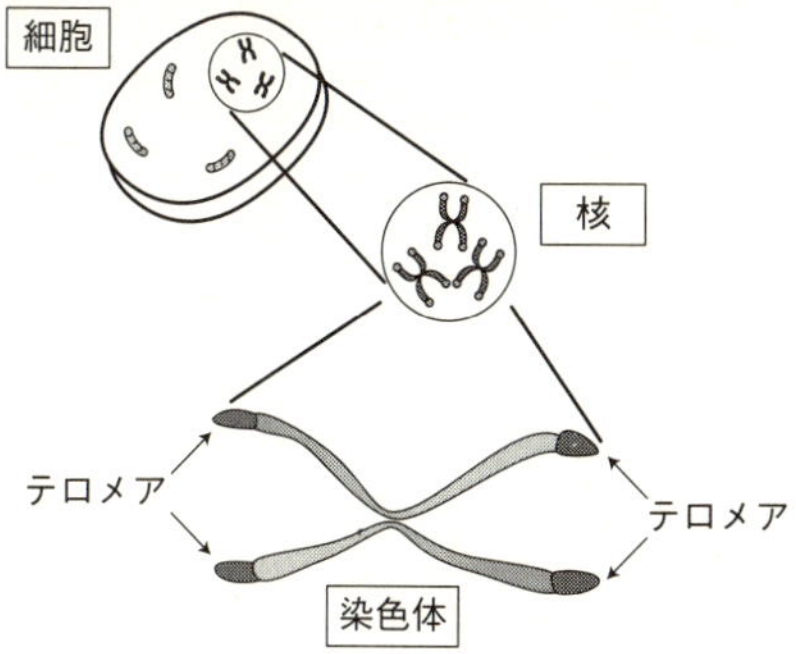

「テロメア」は、細胞の核の中にある染色体の両端にあたる部位。細胞分裂とともにこの部位がすり減っていくと、その分、寿命も縮んでいく

音がかすれたりしてはいけないでしょう。

生殖細胞が何兆個にも分裂するときも、DNAや端っこのテロメアが正確にコピーされ、同じDNAを持った細胞が次々と生まれていきます。途中で隣のおじさんのDNAに置き換わったりしないのです。

このコピー（複製）をしているのが細胞内の複製酵素。DNAには「DNAポリメラーゼ」、テロメアには「テロメラーゼ」という複製酵素が働きます。

ただ面白いのは、この二つの複製酵素のうちテロメラーゼは、この世に誕生した途端に働かなくなってしまうこと。つまり、DNAは出生後も複製されますが、テロメアは複製されないので、細胞分裂するたびにどんどんすり減っていきます。コピー機のインクがなくなれば印刷ができなくなるように、テロメアがなくなればそれ以上細胞分裂ができなくなり、細胞は自然死（アポトーシス）を迎えます。

テロメアが「命の導火線」になっていることがわかるでしょう。テロメアの消滅が無限に続く細胞分裂に歯止めをかけ、それぞれの生物に固有の寿命を決定しているといえるのです。

寿命が尽きる瞬間とは

このテロメアに関連して、私の少年時代の話を少々させていただきましょう。

私の母親の実家は青森県弘前市の近くにあり、子供の頃、夏休みになるたびにその実家に預けられて遊んでいました。

田舎の原風景は、遠方に津軽富士（岩木山《いわきさん》）があって、岩木川が流れていて、その川の両側にリンゴ畑が広がっているというもの。リンゴ畑にはセミやカブトムシ、コオロギなどがたくさんいて、毎日、虫かごいっぱいに虫取りをしたものです。

家に持って帰ってスイカの皮などを食べさせていると、カブトムシやコオロギは何週間も何ヵ月も生きるのですが、セミは一週間すると死んでしまう。砂糖水をやったりしていろいろ世話をしても、一週間で死んでしまうのです。私はそれが悲しくて昆虫図鑑で調べたり大人に聞いたりしましたが、どうしても一週間以上生かすことはできません。

そうした子供の頃の疑問も、このテロメアの理論で解決することができました。

ミンミンゼミの幼虫は地中で七年間も過ごしたあと、地上で羽化して、ミーンミーンと盛んに鳴きますね。あれはパートナーを見つけ次世代の子孫を残すため。そうやって生殖を終えた七日目で寿命が尽きるように、初めからテロメアの時間的な長さが決まっていたのです。

だから、どんなに餌をやってもそれ以上生きることができないわけです。

この地球上のあらゆる生物は子孫を残すためにこの世に生まれます。そして、様々な苦難を乗り越えたわずかな生き残りが生殖を行う。そして生殖が終了することで、この世に生まれてきた役割も終えることになります。

生殖年齢が終了したら死ぬようにテロメアの長さが設定されているのです。

「利己的な遺伝子」と寿命

では、人間の場合はどうなのでしょうか？　私たち人間の女性は、閉経して以降もずっと生きていますが、それはどうしてなのか？　その答えは、動物行動学者リチャード・ドーキンスの唱えた「selfish gene（利己的な遺伝子）理論」がヒントになります。

この世に生まれた生物は、すべて生き残ろうとします。たとえ相手が親友であろうが、恋人であろうが、相手を生かして自分が死のうなんて考えていない。ところが、ときに親は子供を生かすために、または恋人のおなかに自分の子供がいれば恋人を生かすために、自らの命を犠牲にします。それはなぜか?

私たちの遺伝子は先祖代々伝えられたもので、未来永劫《えいごう》子孫に受け継がれてゆきます。遺伝子にとって大切なのは、仮住まいの肉体を維持することではなく、遺伝子そのものを後世に伝えること。そのためには、自分の遺伝子を引き継いだ子供のために命を投げ出すこともある。これが「利己的な遺伝子理論」です。

必然的に子供も、自分が生き残るために必死です。母親を独占しようとする。しかし、母親もこの子に構っていると次の繁殖ができない。動物の場合は、次の繁殖期がやってくると、いままでとてもかわいがっていた子供を一切相手にしなくなります。強制的な乳離れですね。

ところが、人間の子供は未熟な生き物です。一人では生きていけません。そこで、すでに閉経したほかの女性(つまり、おばあちゃん)に子供を預けて、次の子供を作るようになったのです。

そのため、閉経後の女性も子育てのために長生きするように進化しました。「閉経後にもテロメアがなくならない」という遺伝情報を持った者が生き残り、男性もこれに合わせて人間特有の社会を築き上げていったと考えればいいでしょう。

もちろん、そうやって長生きできるようになったとしても、テロメアの長さに限界があることはいうまでもありません。

先ほどもお話ししたように、人間の場合は一一の二乗＝一二一歳がテロメアの限界と考えられ、この先いくら医学が進歩しようが一二の二乗＝一四四歳、一三の二乗＝一六九歳……と無限に長生きしていけることにはなりません。

実際、世界一の長寿者として記録されているのは、フランスのジャンヌ・カルマンさんという女性で一九九七年に一二二歳で亡くなったといわれています。

それ以前の世界記録は、日本人の泉重千代《いずみしげちよ》さんで一二〇歳。以下、一一〇歳代の長寿者がズラリと続いていきます。こうした記録をふまえても、おおよそ一二〇〜一二五歳くらいが人間のテロメアの限界であることがわかるでしょう。

ちなみに、中国の神話に出てくる神農《しんのう》という伝説上の人物も一二〇歳まで生きたといわれています。キリスト教やユダヤ教の預言者モーセも一二〇歳、神武《じんむ》天皇も一二五歳といわれています。

彼らが実在したかどうかはわかりませんが、昔の人は寿命の限界が一二〇歳であることを経験的に知っていたといえるかもしれません。

昔から長寿の祝いに「還暦、古希、喜寿、傘寿《さんじゅ》、米寿、卒寿……」と呼ぶ習わしがありますね。六〇歳が還暦であれば、一二〇歳のことをその倍の大還暦といいます。じゃあ一三〇歳はなんというでしょう。じつは呼び名がないのです。中国四〇〇〇年の歴史の中で誰一人として一三〇まで生きたことがないという証《あか》しでしょう。

こうした事例をふまえても、私たち人間のテロメアの長さ＝寿命が一二〇歳であるという裏付けが得られるはずです。

なぜ寿命まで生きられないのか

もちろん、実際に一二〇歳まで生きられる人はほとんどいません。

日本人の平均寿命は女性が八六・四歳、男性が七九・六歳（二〇一〇年現在）と、過去の時代に比べたら飛躍的に延びていますが、これはあくまでも平均値であり、実際にはもっと短命で亡くなる人が数多くいます。それはなぜでしょう？

意外に思われるかもしれませんが、答えは早稲田大学の大隈《おおくま》記念講堂にあります。

昭和の初め、同大学の創設者であり、明治の元勲でもある大隈重信《しげのぶ》公の教え子たちが、その威徳をたたえて大隈記念講堂を建設しました。

この記念講堂の時計塔の高さが「一二五尺」。なぜかというと、学祖大隈公の口癖が「人間は摂生すれば一二五歳まで生きられる」というものだったからです。

DNAのこともテロメアのこともなに一つわかっていなかった時代に、彼は驚くことに、テロメアの限界をすでに知っていたことになります。しかも、不摂生がテロメアを短くする可能性についても言及しています。

では、なぜ不摂生がテロメアを短くするのでしょう?

ミミズをたとえに説明してみましょう。ミミズは口から肛門まで一本の管でできています。泥の中を進むと泥が口から入ってお尻から出ていきます。すなわち外の環境と体内環境が同じで、泥が汚染されればミミズの体内も汚染されます。

ヒトの体も管でできています。口から肛門までの「消化管」、鼻から肺までの「気管」、そして全身の「血管」。こうした管は栄養や空気の通り道で、内側は「上皮細胞」というバリアによって覆われています。この上皮のことを、消化管や気管では「粘膜」、血管では「内皮」と呼びます。

不摂生をすれば上皮が荒れます。これが「炎症」と呼ばれる症状で、「発赤《ほっせき》」「疼痛《とうつう》」「発熱」「腫脹《しゅちょう》」「機能障害」という五徴（五つの徴候）が現れます。喫煙や暴飲暴食で粘膜が「赤くなり」、やがて「痛み」や「熱」「腫《は》れ」が生じ、息がしづらくなる、食べづらくなるといった「機能障害」が現れるのです。

炎症は不摂生をやめればすぐ治りますが、多くの人は症状が治まるとまた、不摂生を繰り返してしまうでしょう。

こうやって何度も炎症を起こしているうちに、粘膜が剝《は》がれて「潰瘍《かいよう》」になります。潰瘍は放っておくと管に穴が開いて命にかかわるので、そうなると入院治療が必要です。

読者の皆さんは、病院や医者や薬が病気を治してくれると思っているでしょうが、それは違います。入院の目的は不摂生から切り離すことです。

入院していれば喫煙も暴飲暴食も夜更《よふ》かしもできませんから、その間に粘膜は自分で修復を始めます。これを「創傷治癒《ちゆ》反応」といいます。潰瘍でできた穴のまわりの上皮細胞が細胞分裂をして穴を塞いでくれるのです。

つまり、わざわざ入院しなくても、お寺にこもっているだけで、体は治癒されるわけです。ですから、英語の「ホスピス」とは、元は「修道院」を意味しました。患者の「ペイシェント」も「我慢する人」を意味します。

このように、私たちの体は、私たちを必死になって治してくれます。ある意味で、とてもけなげです。退院するとまた不摂生を始めてしまうようなご主人様のためにも、一生懸命、細胞分裂をして、穴を塞いでくれるのですから。

ただ覚えておいてください。細胞分裂のたびにテロメアはどんどん短くなっていく、つまり寿命は縮んでいくのです。

ガンは必要があって生まれてくる

不摂生の繰り返しでテロメアが限界に達したとき、細胞はこれ以上分裂できないため、普通は穴が開いて死んでしまうわけですが、それでもなんとか穴を塞ごうとする細胞が現れます。

胎児の生殖細胞にはテロメアの複製酵素テロメラーゼがあって、次々に細胞分裂ができる、とお話ししましたね。テロメアが限界に達すると、なんと、同じようにテロメラーゼを持って「無限に分裂を繰り返す修復細胞」が現れるのです。

その救世主の名を「ガン」といいます。

こういうと、「私たちの生命を救うために生まれてきた細胞が、なぜ私たちの生命まで奪うのか」と疑問に思うでしょう。

いいですか、「この世の中に生まれたものはすべて生き延びようとする」のです。それは頭でそう考えるのではなく（頭はときどき自殺まで考えますね）、細胞の中の遺伝子に「生き延びろ」という命令が書き込んであるのです。だから脳を持たないミジンコや細菌まで生きようとするのです。

それは、ガン細胞も同じ。ガン細胞も、この世に生まれてきたからには生き延びようとして細胞分裂を繰り返すのです。

ガンを家族にたとえましょう。最初はお父さんとお母さんの二人暮らし。狭いながらも楽しい我が家です。やがて子供が生まれ、孫が生まれ、大家族になってゆくと家が手狭《てぜま》になります。こんなとき、もし隣に空き地があったら建て増しをするでしょう。

ガンも増えてくると隣の臓器に建て増しをします。これを「浸潤《しんじゅん》」といいます。

あるいは、もっと広い場所に引っ越そうとするでしょう。ガンも肺や肝臓のように広い場所に引っ越しをします。これを「転移」といいます。

ガンは私たちの不摂生の結果、私たちの体を救おうとして現れたのです。ですから、ガンになったあとも生活習慣を変えなければ、どんどん大きくなって、やがては浸潤・転移をするのは当たり前のことです。

ガンを憎み、ガンになった運命を呪っても仕方ありません。むしろ、ガンに感謝してください。「私を助けようと思って頑張ってくれているんだね。でももういいよ。私は生活習慣を改めたから。ご苦労様」といってガンになったところを優しく撫《な》でてください。

ガンになった自らの行い、その行いを起こさせた心を改めて、生活習慣を改善すれば、ガンの勢いは治まり、あなたと共生することができるはずなのです。すべては意味があって起こるということをしっかり理解しなければなりません。

ガンを予防し、再発を防ぐには生活習慣を変えることが一番です。この点については、第三章で詳しく述べることにしましょう。

血管で何が起きているのか？

ガンと並んで日本人の三大死因に数えられる脳卒中や心臓病は、「動脈硬化」という血管の変化によって引き起こされます。具体的な経過を簡単にたどってみましょう。

まず、喫煙や暴飲暴食によって血管内に有害物質が流れ、炎症が生じます。これも不摂生を慎めば自然と治りますが、そのまま不摂生を続けていくと炎症がひどくなり、潰瘍の場合と同様、血管の内皮細胞に穴が開きそうになります。

この穴を塞ごうとして、コレステロールや傷跡組織によるかさぶたができます。この状態でさらに不摂生を続ければ、かさぶたが動脈を詰まらせて硬く変化します。これを「動脈硬化」と呼ぶのです。

動脈硬化になると、そこから先に血が流れていかないために、組織が腐ってしまって、脳梗塞や心筋梗塞を起こします。

また、動脈硬化によってもろくなった脳や胸腹部の血管が風船のように膨らんでくると「動脈瘤《どうみやくりゆう》」となり、放置しておくと破裂して死にいたります。

心臓に栄養を送る冠動脈という血管が狭くなると「狭心症」になりますし、脳の末梢《まつしよう》血管まで血が回らなくなると「認知症」になります。

こうして見ていくと、現代人のかかる病気のほとんどが血管や消化管、気管などの管にまつわる病気であり、その原因が「不摂生」であることがわかるはずです。

具体的には、病気の五〇パーセントが生活習慣に、二五パーセントが遺伝や免疫に、残りの二五パーセントが生活環境に関係しているといわれています。

どの原因も軽視はできませんが、生活習慣を改めていくだけでもガンや脳卒中、心筋梗塞をはじめ多くの病気から解放されていくことがわかるでしょう。いつまでも「若く美しく健やかに生きる」ための秘訣は、生活習慣の見直しなのです。

ここまでお話しした人間の体の構造をよく理解していれば、それは決して難しいものではありません。次章では、「人生百年計画」の実践編として、まずはこうした「生活習慣病」の改善法についてお伝えしていきたいと思います。

第二章　メタボの真実

五〇歳からは一歳ずつ若返る

前章では、私たち人間に与えられた寿命が「一二〇歳」であり、その天寿をまっとうできないのは「不摂生」のためであるというお話をしました。

もちろん、摂生をしたからといって、すべての人が一二〇歳まで生きることは困難ですが、一〇〇歳ならばどうでしょうか?

徳川家康《とくがわいえやす》は晩年、「人の一生は重荷を負うて遠き道を行くが如し」といいましたが、それは二代将軍の時代まで「大御所様」と呼ばれて実権を握り、死しては「神」となって東照宮《とうしょうぐう》にまつられようという「欲」があったからそんなことをいうのです。こんな忍耐だらけの生き方では途中でバテてしまいます。

「人間五〇年」。五〇歳は人生の折り返し。

最初の五〇年は、がむしゃらに働いて人生の基礎を作ります。

そこから先は生まれ変わって、一歳ずつ若返ってゆく。地位や財産は後輩に譲りながら、だんだん赤ちゃんに返っていくのです。

「人の一生は重荷を下ろしながらスチャラカで行こう」というのが私の座右《ざゆう》の銘《めい》です。

私は、こうした生き方を「人生百年計画」と呼んでいます。

「摂生」を義務と思えば重荷になりますが、身を慎むことを趣味として楽しみながら、若く美しく健《すこ》やかに人生を送る——こんな生き方が自然とできるようになったら、素晴らしいと思いませんか？

生きる意欲は体が元気だからこそ湧いてくるものです。五年後、一〇年後の自分をイメージしながら、まずは健康の足を引っ張っている不摂生な生き方に目を向けてみてください。そのうえで、そこから抜け出す努力をしてみる。

その際のヒントが、じつは最近話題になることが多い「メタボリックシンドローム」の中に隠されています。

この章では、メタボリックシンドロームを一つの手がかりに、長寿と若返りの秘密について探っていきたいと思います。

メタボの本当の意味

長生きの基本になるのは、もちろん健康です。この健康を保つためにどうしてもクリアしなければならない関門が、メタボリックシンドロームです。

皆さんは、メタボの診断基準をすべていえるでしょうか？

おそらく無理でしょう。じつは、医者をやっている私でもいえません。なぜなら、数字が多くて覚えきれないからです。

そもそも、こうした数字そのものが当てになりません。検査値がすべて正常であっても、タバコを吸って暴飲暴食ばかりしている人を健康と呼ぶことはできないでしょう。

では、メタボの診断基準なんてまったく無意味なものなのか？

じつはそうともいえません。大切なのは、メタボの診断基準からどのような「メッセージ」を読み取ることができるかということ。

メッセージという言葉がピンと来ない人は、図表4の診断基準をよく見て、何を意味しているのか考えてみてください。

まず必須項目に「ウエストのサイズ（腹囲）」が挙げられていますね？

男は八五センチ以上、女は九〇センチ以上。男のほうが体格が大きいのに、女よりも基準が厳しいのはなぜでしょう？　これはあとで解説します。

次に選択項目として、メタボの「三高」が挙げられています。

三高といっても、「高身長、高学歴、高収入」ではありません。もっと怖い「高脂血症（脂質異常症）、高血糖、高血圧」がメタボの三高です。このうち二項目以上を満たしている人がメタボリックシンドロームと呼ばれるわけです。

図表4　メタボリックシンドロームの診断基準

必須項目	**内臓脂肪蓄積**	
	腹囲（腹回り）	男性　85cm以上
		女性　90cm以上
	＋	
選択項目 ＊これらの項目のうち２項目以上	**高脂血症**	
	中性脂肪	150mg/dl以上
	または／かつ	
	HDLコレステロール	40mg/dl未満
	高血糖	
	空腹時	110mg/dl以上
	高血圧	
	収縮期（最大）	130mmHg以上
	または／かつ	
	拡張期（最小）	85mmHg以上

メタボの診断基準を暗記するよりも、これらの診断項目が何を意味するのか、「メッセージ」を読み取ることが大事

これらの項目に隠されているメッセージとはこういうことです。

ウエストが太い……食べ過ぎ
高脂血症……脂の摂《と》り過ぎ
高血糖……砂糖の摂り過ぎ
高血圧……塩の摂り過ぎ

このようにとらえれば、メタボの意味がずっと明確になると思いませんか？

これは診断基準の数字をいちいち覚えて、自分の検査値と比べて一喜一憂することよりもずっと大事なことです。

メタボとどう向き合えばいいのか？　一つ一つの項目の問題点について詳しく検討してみることにしましょう。

大食いタレントはなぜヤセなのか

まずは「ウエストが太い」、つまり「肥満」について考えてみたいと思います。読者の皆さんの中には、「ちょっと食べても太ってしまう」と悩んでいる人もいると思いますが、悩む必要はありません。

これは人類の進化の証《あか》しであるからです。

三〇万年に及ぶ人類の歴史は、「飢餓《きが》」との闘いでした。

次にいつ食事にありつけるかわからないため、食べられるときに栄養を蓄えておかなくてはなりません。そこで、少し食べただけでも脂肪が蓄えられる栄養効率のよい者だけが生き残ることができたのです。

このときに働いていた遺伝子が、「倹約遺伝子」と呼ばれています。

つまり、私たちは「ちょっと食べれば太ることのできる」飢餓に強い人類の子孫なのです。そう考えれば、「そんなに食べていないのに太ってしまう」理由が見えてきますね?

メタボ、メタボといいますが、体に脂肪を蓄えることができるのは、じつは進化した人類の証しであるともいえるのです。

最近では、ギャル曽根《そね》さんのようにテレビで大食いを披露する若い女性タレントを見かけますが、あんなに食べても太らないのは倹約遺伝子が働いていないからです。飽食の時代に適応した「新人類」なのかもしれませんが、飢餓の時代がやってきたら生き延びることは難しいでしょう。

もちろん、倹約遺伝子がある私たちが好き放題に食べ続けていったらどうなるか？　脂肪がどんどん蓄えられ、体は巨大化して身動きが取れなくなりますね？　これではとても生きてはいけません。

そこで、私たちの体は「適応」を始めます。いくら食べても太らない体になるのです。じつはこれが、「糖尿病」と呼ばれる状態。

病気をただ悪いものととらえている人にはわかりにくいかもしれませんが、糖尿病は環境に適応した結果として現れるものなのです。

糖尿病は人間の進化の結果

進化と適応の関係をもう少し整理してみましょう。

何万年もの長い時間をかけて、環境に適した遺伝子を持った者だけが生き残る――これを「進化」といいます。

一方、一人の人生の中で、遺伝子の変化とはかかわりなしに環境に適した体質を手に入れる――これを「適応」といいます。

アフリカのサバンナで暮らす人たちが五・〇の視力を持っているのは、ライオン以上に視力が良くなければライオンに食べられてしまうからです。

これは「進化」の証しといえますが、彼らにパソコンを与えて一日中仕事をさせれば、やがて近視になるでしょう。

ただ、それは目が悪くなったのではなく、近くが見えるように変化したのです。これが「適応」に当たります。

これまでの「常識」から離れ、発想の転換が必要であることがわかりますね？

では、糖尿病が飽食に対する適応であるなら、症状が進むことでなぜ目が見えなくなったり（糖尿病性網膜症）、手足の先が腐ったり（糖尿病性壊疽《えそ》）……こうした合併症が現れるのでしょうか？

目や鼻や耳は感覚器で、餌を見つけるための捕食器官の一つです。また、手や足は運動器官で、こちらもやはり餌を捕まえるための捕食器官として機能しているでしょう。

自分で餌を捕まえなければならない動物たちは、こうした捕食器官がとても発達しています。しかし、ニワトリのように人に飼われて毎日餌を与えられていると、やがて飛べなくなってしまいます。

なぜなら、捕食器官が退化するからです。

これと同様、飽食によってヒトは嗅覚《きゅうかく》も視力も退化しました。手足も衰えました。しまいに目も見えなくなって、手足も先から腐って落ちてしまう……これが未来人の姿なのかもしれません。

そう考えれば、糖尿病こそが飽食に対する進化であり、適応の結果であることがわかるでしょう。

体は悪いことをしているわけではなく、自らを生かすために働いているわけですから、恨めしいと思っても仕方ありません。

それがいやだというのなら、やはり食べ過ぎ、飲み過ぎを避け、飽食への適応が進まないように対処していくべきです。

そのために大事なのは、自分の体がいまどんな状態にあるのか把握するということ。「己を知る」ことがまず求められます。

といっても、難しいことを皆さんに課すわけではありません。ここでは、最も手軽な「標準体重を知る」ことから始めていきましょう。

まず「標準体重」を知る

標準体重と呼ばれているものは、統計データをベースに人が健康的な生活を営むための「理想の体重」を示したものです。

近年では、ＢＭＩ（ボディ・マス・インデックス）と呼ばれる計算法が普及していますが、歴史をさかのぼっていくと、このほかにもブローカ式桂変法《かつらへんぽう》、加藤式などいくつかの方法があります。

それぞれ一定の根拠に基づいているものですから、一通りチェックして自分の標準体重のおおよその目安をつかむのがいいかもしれません（図表5を参照）。

まず、ブローカ式桂変法についてですが、これは身長から一〇〇を引いた数値を標準体重とするブローカ式に日本人の体型に合わせて〇・九をかけたものです。

私の場合、身長一七三センチで体重六二キロですが、このブローカ式桂変法で計算すると六五・七キロが標準体重になり、少々やせ型であることがわかります。

これに対して加藤式は、身長から五〇を引いて二で割ったものですから、六一・五キロが私の標準体重になります。

このほかに、身長から一一〇（女性は一〇五）を引くだけというシンプルな計算法もあり

図表5 標準体重の調べ方

ブローカ式桂変法	(身長−100)×0.9
加藤式	(身長−50)÷2
BMI	身長(m)^2×22

このほかに、身長−110(女性は105)という計算法もある

ますが、こちらは六三キロになります。どちらも多少の増減がありますが、ほぼ標準体重に近いといえるでしょう。

では、BMIで計算するとどうでしょうか? BMIは体重を身長の二乗で割ったもので、この数値が二二のときにメタボリックシンドローム(高血糖、高脂血症、高血圧)になりにくいというデータがあります。現在では、ここから逆算して身長の二乗に二二をかけた数値が標準体重と考えられています。

このBMIで私の標準体重を計算すると六五・八キロですから、ここでも少しやせ型という結果が出ました。一般的には、BMI＝一八・五〜二五の範囲内ならば標準体重と見なされていますから、二〇・七の私も大きな問題はないことになります。

どうでしょうか? 皆さんはどんな結果が出たでしょうか?

どの計算法でも標準体重をオーバーしてしまう人は要注意です。本書のアドバイスを参考にしながら、少しずつ食事の摂り方を変えていくといいでしょう。

内臓脂肪がたまるのにも理由がある

ただ、こうした標準体重の計算法には盲点があります。身長と体重だけで計算しているため、肝心のウエストの太さのチェックができないからです。

標準体重であっても、おなかに脂肪がたまっている人はメタボの危険性があります。そこで脂肪について学んでみましょう。

脂肪には皮下脂肪（白色脂肪）と内臓脂肪（褐色脂肪）がありますが、どちらも「寒さ」と「飢え」を乗り越えるためには不可欠なものです。

皮下脂肪は、文字通り皮膚の下にある脂肪のことで、エネルギーの貯蔵庫になっているのと同時に断熱材の役割を持っています。いわば寒さから身を守るための「肉じゅばん」として機能しているわけです。

これに対して内臓脂肪は、内臓のまわりにある脂肪で、燃焼することによって熱が発生する発熱物質として知られています。寒いときに体がブルブルと震えますが、これは「震え熱産生」といって、筋肉の中にある糖（グリコーゲン）が燃焼することで熱を生み出しているのです。

ただ、糖やたんぱく質は熱効率が悪く、一グラム燃やしても四キロカロリーにしかなりません。脂肪は一グラムで九キロカロリーにもなり、たいへん効率がいいのです。震えなくても熱を発生できるので「非震え熱産生」と呼ばれます。

糖による熱エネルギーを石炭や木炭にたとえた場合、内臓脂肪から生み出される熱エネルギーは石油ストーブに匹敵するといえます。そう考えれば、おなかのまわりの悩ましい脂肪にも大事な役割があることがわかるでしょう。

実際、冬眠する動物は寒い洞穴の中で数ヵ月を過ごしますが、ブルブル震えながら熱を産生しているだけでは糖が足りなくなってしまい、すぐにおなかが空《す》いてしまいます。おなかにたっぷりと内臓脂肪が蓄えられているからこそ、なにも食べないままでも厳しい冬を乗り越えることができるのです。

これは、自分で栄養摂取することができない赤ちゃんの場合も同様です。赤ちゃんがブルブル震えているのを見たことはないでしょう。赤ちゃんも内臓脂肪をたくさん持っているという点では、じつは「メタボ」なのです。

おしりの大きさとメタボの関係

氷河期を生き抜いた動物にとって、内臓脂肪を持つようになったことは悪いことではなく、「進化」の一つにほかなりません。

しかし気になるのは、先ほどのメタボの診断基準で、ウエストが男性は八五センチ以上、女性は九〇センチ以上と、男のほうが厳しく設定してあった理由です。

その理由は、男はおなかの内臓脂肪がたまりやすい「内臓脂肪型」、女はおしりや太もも、腰回りなどに皮下脂肪がたまりやすい「皮下脂肪型」だからだといわれています。男のほうがメタボのリスクが高いから診断基準が厳しいのだといえるわけですが、こうした体型の差が出てくるのはなぜでしょうか?

ここまでの話をふまえれば、オスばかりでなくメスだって冬眠するわけですから、内臓脂肪が少なければ生存の危機につながってしまうはずです。しかし、皮下脂肪型のメスもちゃんと冬眠ができています。なぜなら、冬眠しているメスの動物は別の発熱物質を持っているからです。それは何でしょう?

ズバリいえば、おなかの赤ちゃんです。

冬眠するメスは交尾をして妊娠してから洞穴にこもるため、内臓脂肪のかたまりである赤ちゃんを発熱源にして寒さをしのいでいるのです。

また、赤ちゃんをおなかの中に収めないといけないので、内臓脂肪を減らして皮下脂肪型になったということもできます。

一方、妊娠・出産をしないオス（男性）の場合、冬の寒さをしのぐためには熱効率がいい内臓脂肪を増やす必要がどうしても出てきます。女性に比べると、内臓脂肪がたまりメタボのリスクが高くなりやすい宿命にあるのです。

事実、四〇代男性の三人に一人はメタボですが、閉経前女性のメタボは数パーセントに過ぎません。若い子が「私、太っちゃってメタボなの」というのはありえないのです。

女性の場合、閉経して以降はおなかに赤ちゃんができなくなるので、皮下脂肪型から内臓脂肪型に変化します。

閉経前は内臓脂肪が少ないため、少しぽっちゃりしていたほうが健康的といえますが、閉経後に肥満傾向にある人は要注意。「そろそろダイエットに取り組みましょう」ということになるのです。

血管を傷つける内臓脂肪からの毒

では、本来必要であるはずの内臓脂肪がなぜ体に害を及ぼすのでしょうか?

石油ストーブを燃やすと煤《すす》が出てきますが、内臓脂肪も燃えるとき煤を出します。これを「アディポサイトカイン」といいます。

問題となるのは、この「煤」の存在です。

アディポサイトカインは、炎症や免疫反応を引き起こす化学物質で、本来ならば体内に侵入してきた菌やウイルスを攻撃するために働きますが、こうした対象がなくなると、自分自身の体を無差別に攻撃し始めます。

中でも被害を受けるのが、血管内側の内皮細胞です。

アディポサイトカインが放出されるのが、冬眠している短期間だけならばたいした問題になりませんが、これが一年中続いたらどうでしょうか？　血管の内皮細胞が次第に傷ついてかさぶたとなり、動脈硬化が起こる。

そう、メタボリックシンドロームのリスクが高まり、脳卒中や心筋梗塞が起こりやすくなるのです。

繰り返しますが、内臓脂肪そのものが悪いわけではありません。熱エネルギーを効率良く産生するためにもある程度は必要であるわけですから、食事の摂り方をうまくコントロールし、過剰な蓄積を避けるしかありません。

ちなみに皮下脂肪に関しては、こうしたリスクはありませんから、必要以上に目くじらを立てる必要はないというのが私の考えです。

そもそも日本女性は、世界的に見てもバストが小さく、皮下脂肪の量が多い傾向にあるのです。それはなぜでしょうか？

日本人の祖先は、遠くシベリアの極寒の地で生まれた人々だったといわれていますが、寒いところに住む動物は体型が丸くて皮下脂肪が多いですよね？ これを「アレンの法則」といいます。

そうやって、体熱の放散を防ぐため表面積を少なくしているのです。ですから顔の凹凸が少ない。目は細く、鼻は低く、下ぶくれ顔。

平安時代の絵巻物に出てくる高貴な女性の顔はみんなこうですね。

体の凹凸も少ない。バストは小さく、ウエストはくびれず、手足は短く胴が長い、これに加えて皮下脂肪がたっぷりついています。

じつはこれは、寒冷に適応するための「進化」にほかならないのです。

コレステロールに善玉悪玉はない

では、「脂《あぶら》」「塩」「砂糖」の摂り過ぎがなぜメタボのリスクを高めてしまうのか？ この点についても考えていきましょう。

まず「脂」についてですが、ここで問題にしたいのは動物性食品に多く含まれる「コレステロール」についてです。

一般的にはコレステロールを善悪に分け、「善玉コレステロールを増やして、悪玉コレステロールを減らす」ことがメタボの改善につながると考えられています。

善玉コレステロールは、正確にはHDL（高比重リポたんぱく）と呼ばれ、末梢血管にあるコレステロールを肝臓に運ぶ働きが知られています。これに対して、悪玉コレステロールはLDL（低比重リポたんぱく）と呼ばれ、こちらは肝臓から末梢血管にコレステロールを運ぶ働きをします。

わかりやすく次のように整理してみましょう。

善玉コレステロール（HDL）……末梢血管から肝臓へコレステロールを運ぶ
悪玉コレステロール（LDL）……肝臓から末梢血管へコレステロールを運ぶ

こうして見ると、HDLとLDLはセットで働いていることがわかると思います。どちらも体にとって必要な働きであることはいうまでもありません。それを善玉悪玉という言葉で分けてとらえるのはおかしいと思いませんか？

それだけではありません。LDLが肝臓から末梢血管にコレステロールを運んでいるのは、体中の細胞がコレステロールを必要としているからです。

コレステロールというと血液中ばかりに関心が集まっていますが、最終的に細胞へと運ばれ、細胞を覆っている膜（細胞膜）の材料として役立てられているのです。

確かに食べ過ぎてばかりいればLDLの働きが過剰になり、血液中にコレステロールがたまりやすくなります。これが高脂血症を引き起こし、動脈硬化につながっていくことは確かですが、逆に飢餓状態にあったらどうでしょうか？

LDLがしっかり働いていなければ、食べ物から摂取したコレステロールを細胞まで届けることができません。

LDLを「悪玉」と呼ぶのはあくまで飽食を前提にしているからであって、食事の量を減らせばむしろ「善玉」に変わるのです。善玉悪玉という分け方がおかしいことが改めてわかるでしょう。

悪玉コレステロール（LDL）の数値が高いからといって異常視し、数値を下げるために薬を飲むというのは正しいことではありません。

それよりもまず、食べる量を減らしてみることです。

コレステロールは細胞外側の細胞膜を作る大切な栄養素ですが、わざわざ食品から摂取しなくても、体内で合成することができます。肉や乳製品はあまり摂り過ぎないように心がけ、なおかつ日頃から飢餓状態（空腹）を保つようにすれば、高脂血症にかかるようなことはなくなるでしょう。

肉を食べないと健康になれる？

とはいえ、肉を減らしてしまって本当に生きていけるのか？　たんぱく質の摂取量が減って健康状態が悪化してしまうのではないか？

こう思う人も多いかもしれませんが心配はいりません。ちゃんと生きていけるのです。

実際、私たちの祖先である昔の日本人はそうした肉類をほとんど口にしない食事を一〇〇〇年以上続けてきたのです。

正確にいえば、六世紀に日本に仏教が伝わったのを機に、日本では動物の殺生《せっしょう》が禁止されるようになりました。

それ以来、明治時代にいたるまで、日本人はほとんど肉を摂らずに過ごしてきたのです。犬や猫も肉は食べず、味噌汁かけごはんで生きていました。

現代人の感覚では肉を与えないなんて動物虐待だと思うかもしれませんが、味噌汁の中には肉の代わりになる成分がしっかり含まれています。

それが、「畑の肉」と呼ばれる大豆です。

大豆にはホルモンバランスを整えるイソフラボンという成分も含まれます。このイソフラボンは女性ホルモンのような作用があるので、肉を食べながらサプリメントでイソフラボンを摂取すれば、相乗効果で乳ガンや子宮体ガンになりやすくなります。

しかし肉食を減らし、その代用として大豆を摂取するのなら、ガンや動脈硬化を減らす方向に働きます。

味噌だけでなく、納豆や豆腐、煮豆などでも構いません。枝豆のようなものでもいいでしょう。

こうした低脂肪の良質なたんぱく質を摂ることで、肉類に対する過剰な欲求は減っていき、脂の害も防ぐことができるでしょう。

栄養の面から見ても、肉にこだわる必要はどこにもないのです。

青魚の脂が血液をサラサラに

大豆などの豆類のほかに摂取をおすすめしたいのが、昔の日本人の日常食であったイワシやアジ、サンマ、サバなどの青魚です。

肉の脂がだめといったのに、同じ動物性食品の青魚はなぜいいのでしょう?

牛や豚、鶏などの動物は、体温がつねに一定に保たれていることから「恒温動物」と呼ばれています。そのため肉を室温で置いておくと脂肪分が白く固まってしまいます。

一方、魚は外界の気温によって体温が変動するため「変温動物」と呼ばれています。冷たい水の中にいれば体温は下がりますが、脂肪分が固まってしまうことはありません。そのため、魚の脂は室温でもサラサラしているわけです。

動物の肉の脂肪分やバターやラードが室温で固まってしまうということは、血管の中でも固まる可能性があるということです。

これに対して、室温では固まらない魚の脂は血管の中でもサラサラと流れていくはずです。同じ動物性の食品を摂取するのでも、体への影響が大きく違ってくることが理解できるでしょう。

では、同じ魚でも白身魚より青魚がおすすめなのはなぜでしょうか？　これは、それぞれの魚の性質を比べてみるとよくわかります。

タイやヒラメなどの白身魚は、太陽の当たらない海底にいて、あまり動きません。それに対して青魚は水面すれすれのところを泳いでいます。

青魚の背中が青いのは、上空から鳥に襲われないように海と同じ保護色に、おなかが白いのは、下から大型魚類に襲われないため空と同じ保護色になっているのです。そうやって昼も夜も眠らずに泳ぎ続けているため非常にいい肉質をしています。

また、皆さんがよく口にするマグロなどの大型魚は、「小型魚が中型魚に食べられ、中型魚が大型魚に食べられる」という食物連鎖の過程で水銀などの有害物質を濃縮させてしまっています。厚生労働省が妊婦に対し「マグロは週一回まで」と勧告しているのも、大型魚類の水銀の害を憂慮してのことです。

健康リスクの高い高級魚をありがたがっていただくよりも、イワシなどの小型の青魚を食べたほうが体にとってはよっぽどプラスになります。目刺しや、味噌汁のダシに使うイリコを頭から丸ごと食べるのもいいでしょう。

植物油でもマーガリンは危険！

ここまで肉や魚に含まれる脂（動物性脂肪）の違いについてお話ししてきましたが、植物に含まれる油はどう考えればいいでしょうか？

植物油には「種子油」と「果実油」があります。

種子油は野菜や果物の種からしぼったもので、菜種《なたね》油やゴマ油、大豆油、サフラワー油（ベニバナ油）などが挙げられます。これに対して果実油は果物の実をしぼったものですから、オリーブ油がその代表と考えればいいでしょう。

こうした植物油に共通しているのは、魚の脂と同様、室温では固まらないサラサラした油であるという点です。動物の脂が「飽和脂肪酸」と呼ばれているのに対し、こちらは「不飽和脂肪酸」と呼ばれています。さらに植物油には、ビタミンEやポリフェノールなどの抗酸化物質も多く含まれます。

そのため、植物油から作られたマーガリンはバターよりも健康にいいと信じられてきました。私もそれを信じて子供の頃からマーガリン派でした。

ところがです。植物油に水素を添加して人工的に固めたマーガリンは、血管の中で固まりやすい「トランス脂肪酸」を含んでいることがわかりました。

ＷＨＯ（世界保健機関）も、「トランス脂肪酸を多量に摂取すると悪玉コレステロールを増加させ心臓疾患のリスクを高める」として使用を規制するよう、二〇〇三年に勧告しています。あまり使わないに越したことはないでしょう。

また、種子自体をたくさん食べると脂肪がたまりやすくなります。

冬眠するクマはドングリをたくさん食べることで内臓脂肪をためます。イベリコ豚もドングリで太らせたブタです。

ドングリやアーモンド、ピーナッツは高カロリー食品なのです。つまみ程度と思って油断して食べ過ぎるとメタボのもとになることは、いうまでもありません。

砂糖の摂り過ぎがなぜ毒なのか

続いて、高血糖の要因となる砂糖についても考えてみることにしましょう。

砂糖がたっぷり入った食品、たとえばケーキやチョコレート、アイスクリームなどを口にすると、食べた瞬間はハッピーな気分になり、そのあと眠気が襲ってきます。じつはこのとき、血糖値が急激に上がって一四〇以上になっているのです。

血中の糖分は血管の内皮細胞を傷つけます。それを修復しようとかさぶたができて動脈硬化を起こすのです。甘いものを食べて血糖値が上がっているときには、タバコ四本分血管が傷ついていると考えてください。

また、血糖値が上がると、体は膵臓《すいぞう》からインスリンを分泌して、糖を脂肪に作り替えます。こうして脂肪が蓄積されます。

さらに糖分を摂り続けていると、インスリンも絶えず分泌され、脂肪は過剰になっていきます。そうすると、私たちの体はこれ以上無駄な脂肪を蓄えないように「飽食」の環境に適応していく。そう、インスリンにあまり反応しなくなるのです。

そうなれば脂肪もたまりにくく、「食べても太らない体」を手に入れることができますね。お気づきかもしれませんが、これが糖尿病です。

糖尿病にかかると自覚できないまま症状が進行していき、前述したように視力障害や神経障害などの合併症が現れるようになります。これがさらに進行して手足が壊死《えし》を起こしたり、失明の危機に瀕《ひん》したりすることがあるのは、私たちの体が自らの生命を守るため末梢の部位から切り捨てていこうとするからです。

私たちは病気になると「体が反乱を起こした」と嘆きますが、それは勘違いです。私たちが行った不摂生に対して、体はなんとか適応しようと努力してくれているのです。病気になったことを嘆き運命を呪うのではなく、病気を起こした自らの行いを改め、その行いを起こした自らの心を改めることが大切なのです。

甘いものの誘惑を断ち切る方法

もちろん、甘いものが体に悪いとわかっていてもなかなかやめられません。特に女性に多いのですが、仕事が終わったあとなどに無性にスイーツが食べたくなる人がいるでしょう。これは、脳に支配されている証拠です。

血液の中にはさまざまな有害物質が流れています。それが脳に流れ込まないように血管と脳との間には厳重な関所が設けられています。

これが「脳血管関門」です。脳腫瘍《のうしゅよう》ができたとき抗ガン剤を投与しても効かないのは、抗ガン剤がこの関門を通り抜けられないからです。

たんぱく質、脂肪、糖の三大栄養素のうち、この関門を通り抜けられるのは糖だけです。

つまり、脳は糖だけを栄養としているのです。そのため甘いものを食べると脳は幸せを感じます。一種の麻薬ですね。

だからつい甘いものに手を出してしまうわけですが、幸せはたまにあるから良いのです。年がら年中では「麻薬漬け」と同じです。

人類の長い歴史の中で毎日甘いものを食べるなどということはありませんでした。私が子供の頃、甘いものはお客様に出すもので、家族が食べるものではありませんでした。子供のおやつといえば、ふかしたサツマイモやトウモロコシやスイカで、ケーキを買ってもらうのは誕生日やクリスマスのときくらい。

同じ糖分でも、野菜や果物に含まれる糖は血糖値をあまり急激に上げません。

また、主食になる米や麦も糖の仲間ですが、玄米や全粒粉《ぜんりゅうふん》、ライ麦パンのように、精製していない状態で食べれば血糖値の上昇はゆるやかなものになります。

血糖値が急激に上昇しなければ、もちろん血管が傷つくこともありません。その意味では、昔の日本人はとても賢い糖の摂り方をしていたといえるのです。

これだけ説明しても甘いものがやめられないという人は、もう病気としかいいようがありません。そういう人は「甘いものが欲しい」という自分の気持ちを否定せず、頭の中で徹底的に肯定してください。肯定して、肯定して、自分の中で最も価値のあるものに変えてしまうのです。

私もワインを飲み過ぎていたとき、量を控えるために、ボルドーの格付けワイン「グラン・クリュ・クラッセ（クラス）」以外のものは飲まないことにしました。チリワインやテーブルワインのように手軽に手に入るものは絶対に飲まないのです。それによって飲む機会は激減しました。大切なものは味わって飲みたいからです。

甘いものが好きな人は、有名なパティシエか老舗《しにせ》の和菓子屋が作ったものしか食べないようにルールを変えてみてください。

良質なものを少量いただくことで、無上の幸福感が得られるようになります。そうすれば、目の前にある袋菓子やコンビニの菓子には手を出さなくなるでしょう。

減塩で高血圧症が減らない理由

では、もう一つの塩の摂り過ぎについてはどう考えればいいでしょうか？

「塩の摂り過ぎが高血圧につながる」ことはよく知られた事実ではありますが、私は減塩どころか、塩を摂ること自体が毒であると考えています。

油（脂）にも砂糖にもいえることですが、本来、これらを調味料として用いる必要はないからです。「毒というのはいい過ぎだ」と思う人もいるかもしれませんが、そんなことはありません。野生動物を観察してみてください。

たとえば、ライオンがウサギを捕まえたときに塩をかけて食べるでしょうか？ シマウマが草を食べるときにドレッシングをかけますか？

いや、これは野生動物にかぎったことではありません。人間の場合も、赤ちゃんが食べるごはん（ベビーフード）には塩を加えていませんね。

自然に近い生き方をしている動物は、わざわざ食べ物に塩をかけたりすることはないのです。なぜなら、そうした肉や野菜の中に、もともと塩分が含まれているからです。

厚生労働省が推奨する必要塩分量は一日一・五グラムですが、現代人の多くはその一〇倍、一〇～一五グラムくらい摂っています。

このように考えれば、塩分をいかに摂り過ぎているかがわかりますね？ 多くの人が減塩に取り組んでいるのに高血圧症が減らないのは、頑張って減塩しているつもりでも、まだまだ余分な塩を摂り過ぎてしまっているからなのです。

では、そもそも塩の摂り過ぎがなぜ高血圧症につながっていくのでしょうか？

通常、食べ物から塩を摂取しても腎臓に運ばれて濾過《ろか》されるため、血液中の塩分濃度はつねに一定に保たれています。

しかし、塩分摂取が度を過ぎていけば腎臓の負担が増し、やがて腎機能が低下していくでしょう。その結果、血液中に処理されない塩分が増えて、血圧がどんどん上がっていく。これが慢性化した状態が高血圧症です。

高血圧が怖いのは、糖尿病の場合と同様、血管の内皮細胞を傷つけ、動脈硬化を起こしてしまうことです。

そうなれば血液が流れにくくなるため、さらに血圧を上げなければならなくなります。当然、心臓にも負荷がかかってくるでしょう。いつ血管が破れて、脳出血を起こしてもおかしくはありません。

塩の摂り過ぎがメタボにつながっていく理由が見えてきたでしょう。

いつかこうなってしまわないようにするには、塩の摂取を減らしていくしかありません。これは言い換えるなら、薄味に慣れるということです。

「塩を一切使うな」とまではいいませんが、使わないほうが体に良いのだ、自然なのだと理解できていれば、調理の仕方も徐々に変わってくるでしょう。

畑でもぎたての新鮮なトマトを食べるときに塩をかける人はいません。そのままなにもつけずガブリといただくでしょう。

打ちたてのうまい蕎麦《そば》を、蕎麦つゆの中にどっぷりつける人もいません。枝豆やパスタはゆで汁の中の塩分だけで十分、振り塩は必要ありません。

トウモロコシや空豆も皮のまま焼いて塩をかけずに食べます。本当においしいものを食べるときは、素材そのものの味で十分に満足できるはず。もし満足できないとしたら、あなたは「まずい素材」を食べているのです。

第三章　ガンは悪者ではない！

「増えたガン」と「減ったガン」

現在、日本人の三人に一人はガンで亡くなっています。

ガンによる死亡者数は調査を開始した終戦直後から右肩上がりに上昇し、一九八一年以降、死亡原因の第一位を独走しています。

戦後六〇年あまりの期間に、最も増加した病気がガンなのです。高齢化が進むこともあり、今後もこうした傾向は続いていくでしょう。

では、なぜガンがこうも増加してしまったのでしょう?

正確にいえば、ガンといっても様々な部位のガンがあり、個別に見ていけば「増えたガン」と「減ったガン」に分けることができます。

増えたガン……乳ガン、前立腺ガン、大腸ガン
減ったガン……胃ガン、子宮ガン、肝臓ガン
(横ばいのガン……肺ガン)

この「増えたガン」と「減ったガン」について調べていくと、どんな生活を送っていると

ガンになるかが見えてきます。

原因さえハッキリとわかれば、ガンは怖くありません。

ガンの原因となる生活習慣を改めさえすればよいのです。自分自身の生き方を良い方向に変えていくチャンスにもなるでしょう。

この章では、一般的にあまり語られることのないガンという病気の真実、いまも増え続けるガンとの賢いつきあい方についてお伝えしていきたいと思います。

ガンが生まれる「三つの原因」

まず、第一章で述べた「なぜガンになるのか」をおさらいしておきましょう。

私たちが喫煙や暴飲暴食などの不摂生をすると、気管や消化管の粘膜が傷つきます。

通常、傷のまわりの細胞が分裂して穴を塞ごうとするわけですが、不摂生を続けると細胞分裂のたびに「テロメア」がどんどん短縮してしまい、やがて限界に達すると、それ以上細胞分裂ができなくなります。

このとき、テロメアを複製する酵素（テロメラーゼ）を持っている修復細胞が生まれます。そう、これがガンなのです。

ガンは私たちの命を奪う「乱暴者」のように思われていますが、じつは私たちの不摂生の尻ぬぐいをするために現れてくれた修復細胞なのです。

こうしたガンを起こす「不摂生」、つまり生活習慣は次の三つに集約できます。

1 喫煙
2 感染症
3 欧米化した食事

要するに、なにも問題がなければ一二〇年は長持ちするはずのテロメアという細胞時計が、これらの生活習慣によってどんどん短縮されているわけです。

繰り返しますが、ガン細胞は悪者ではありません。悪いのは私たちの生活習慣です。ガンを憎み運命を呪うのではなく、ガンを起こした行いを改め、その行いを起こした心を改めれば、その日からガンにはかかりにくくなります。

ガンの予防や再発を防ぐことはもちろん、若さと健康を維持しながら天寿をまっとうする生き方が実現できるはずなのです。

タバコで胃ガンになるのはなぜ?

では、まずは三大原因の一つ、タバコとガンの関係について説明しましょう。

タバコの吸い過ぎが肺ガンのリスクを高めるということはよく知られていますが、これはタバコの煙を吸い込むことで気管の粘膜が傷ついて炎症を起こし、その修復のためにテロメアが短縮するからです。

タバコの煙で傷ついた喉《のど》や肺に咽頭《いんとう》ガンや肺ガンを発症するのはこのためです。タバコを吸わなければ、咽頭ガンの九〇パーセント、肺ガンの七五パーセントは発症しないのです。

また、それだけではなく、食道ガンの五〇パーセント、胃ガンの二五パーセント、そして大腸ガンの一部もじつはタバコが原因です。

タバコの煙は飲むものではないのに、どうして消化管のガンが増えるのか？

不思議に思う人もいるかもしれませんが、タバコを吸うときはたいていコーヒーやビールを飲むでしょう。こうしたタバコと飲食の組み合わせによって、タバコの煙は気管だけでなく消化管にも侵入していきます。

コーヒーやビールと一緒にニコチンやタールも飲み込んでしまうので、食道ガンや胃ガンなどの消化管のガンも引き起こされやすくなるのです。

言い換えれば、タバコさえ吸わないようになれば、かなりの割合でガンを減らすことができることがわかるでしょう。

また、タバコは気管だけでなく、血管の内皮細胞も傷つけるため、心臓病や脳卒中の引き金になり、また老化の要因の一つにもなります。

私自身、学生時代はタバコを吸っていましたが、若返りを意識するようになってからは、すっぱりとやめました。また、喫煙者の近くには寄らない、分煙がきちんとされていない店には入らないようにして、受動喫煙の害にも気をつけるようになりました。

「タバコがなかなかやめられない」という人は多いと思いますが、やめさえすればガンのリスクははっきりと減少し、心臓病や脳卒中にもかかりにくくなるわけですから、私の話をよく理解し、ぜひ禁煙に踏み切ってください。

「ノースモーキング」を実践することが、それまでの生活習慣を改善する第一歩になるはずです。

ウイルス性ガン減少の理由

では、二つ目の感染症とガンの関係について説明しましょう。先ほど挙げたガンのうち胃ガン、子宮頸ガン、肝臓ガンは感染によっても引き起こされます。

感染症については、結核が終戦直後の日本人の死因の第一位だったことが知られていますが、その後、衛生環境や栄養状態が改善されたことで急速に減少していきました。同様に、胃ガンと子宮ガンも減少傾向にあります。

中でも注目されるのは、胃ガンの原因として知られるピロリ菌についてでしょう。

胃ガンの原因として知られるピロリ菌は、正確には「ヘリコバクター・ピロリ」といい、強酸性である胃の内部でも増殖できる菌です。一九八三年、オーストラリアのロビン・ウォーレンとバリー・マーシャルが胃に生息《せいそく》するピロリ菌を発見、その培養に成功することで、二〇〇五年にノーベル生理学・医学賞を受賞しました。

不摂生などが続き、このピロリ菌が増殖すると、胃炎や胃潰瘍が引き起こされ、その修復のために周囲の細胞が分裂します。

ここで生活習慣を見直し、暴飲暴食と喫煙をやめれば、胃炎や胃潰瘍は起こらなくなりますが、ほとんどの人は不摂生をやめないでしょう。そこでテロメアが限界になったとき、救世主として胃ガン細胞が発現するのです。

ピロリ菌は汚染された井戸水から感染するため、かつては日本人のほとんどがこの菌を持っていました。そのため、日本では胃ガンが多かったのですが、衛生環境の改善によって感染が減り、それに伴って胃ガンも激減しました。

ピロリ菌は専門の病院で除菌することができるため、今後、胃ガンにかかる人はさらに減っていくでしょう。

一方、子宮ガンは、子宮の入り口にできる「子宮頸ガン」と、子宮の内側にできる「子宮体ガン」に分けられますが、それぞれ原因が異なります。ウイルス感染が原因となるのは子宮頸ガンのほうです。

子宮頸ガンの原因となるのは、ヒトパピローマウイルス（HPV）と呼ばれるウイルスの感染です。感染と聞くと性病のように不潔に感じる人もいますが、このウイルス自体は特殊なものではなく、性交経験がある女性の約八〇パーセントが膣《ちつ》の中に持っている、ごくありふれた存在であるということです。

また、子宮頸ガンの発症率も一〇万人中三〇人ほどと、さほど高いわけではありません。「感染したらすべての人が子宮頸ガンになる」というわけではないのです。

しかも、近年ではワクチンの接種で十分に予防できることもわかってきました。

ただ、子宮頸ガンワクチンの難点は、保険が利《き》かないうえ、体内で抗体がなかなか作られないため、半年で三回も接種を受けなくてはならないことです。

また、感染してからでは効果がないので、性交をする前の小学校の高学年、遅くとも中学校の低学年までに打たないといけません。

テレビなどではワクチン接種の必要性がさかんに説かれていますが、先ほど述べたように、感染していたとしても発症する人はごくわずかです。特に未成年の子供の場合、両親がこうした事実をしっかりと把握し判断するべきでしょう。

ウイルス感染＝発病とは限らない

では、もう一つの「減ったガン」である肝臓ガンについてはどうでしょうか？

肝臓ガンもほとんどがウイルス感染による肝炎に起因するものと考えられ、肝臓ガンの原因となる肝炎はウイルスの種類によってB型とC型に大きく分けられます。

ウイルス性肝炎は、東南アジア一帯で罹患《りかん》者が多いことで知られ、日本では肝臓ガンの約七〇パーセントがC型肝炎ウイルスの感染に起因しているといわれています。

このC型肝炎ウイルスは感染してもすぐには発症しません。三〇パーセントの人は一過性の感染で、発症せずに自然に治ってしまいます。

また、七〇パーセントの人は感染が持続し、「無症候性キャリア」になります。そのままウイルスと共生できればウイルスも繁殖でき、私たちも肝炎を起こさずにすむのですが、なかなかそうはいきません。

感染を知らずに暴飲暴食、不摂生をしていると、一〇年で半数の人が「慢性肝炎」となります。このとき検査で発見されれば肝炎を治すことができます。もちろん、薬よりも大切なのは不摂生をやめることです。

ところが、慢性肝炎になっていることに気づかない人は不摂生をさらに続けます。その状態がさらに一〇年続くと、いよいよ「肝硬変」となります。

こうなると、もうあとには戻れません。そして、肝硬変になってさらに一〇年すると、いよいよ「肝臓ガン」です。

もちろん、ウイルス感染から慢性肝炎、慢性肝炎から肝硬変、肝硬変から肝臓ガンになる原因は不摂生だけではありません。

もう一つの重要な原因は、あなたの「免疫力・創傷治癒能力の過剰」です。

肝炎ウイルスが体内に侵入しても相手にしなければ「自然治癒」、仲良く共生すれば「無症候性キャリア」になり、肝炎は発症しません。

しかし、無菌状態で育った現代人の免疫は過剰に反応します。白血球が「サイトカイン」という毒を出して攻撃するのです。

内臓脂肪のところでもいいましたが、サイトカインは自分の体も傷つけます。これによって肝臓の細胞がこわされ「肝炎」を起こすのです。

傷ついた組織を修復するとき傷跡組織が過剰に作られて、肝臓全体がケロイドのように硬く変化してしまいます。これが「肝硬変」です。

肝硬変を治そうとして周囲の細胞が頑張って細胞分裂をすると、そのたびにテロメアが短縮します。それをなんとかしようとして生まれるのが、無限に増殖するガン細胞。「肝臓ガン」になります。

ウイルスに対する過剰反応のサイトカインで肝炎になり、肝炎を修復するときの過剰反応で肝硬変となり、肝硬変を治そうとして肝臓ガンになる――どれもこれも私たちの体が引き起こした過剰反応です。

最近では衛生環境が良くなったので、肝炎ウイルス感染は非常に少なくなりました。

そのため肝臓ガンはやや減りつつありますが、根本的には不摂生をやめることとともに、子供の頃から土や動物と触れ合うことによって、免疫過剰を引き起こさないようにすることが必要です。

こうした免疫の働きについては、第四章で詳しくお話ししていきましょう。

欧米型の食事がガンの最大要因

さて、「タバコ」と「感染症」というガンを引き起こす二つの原因について考えてきましたが、タバコに関しては社会的に禁煙運動が進んでいますから、肺ガンや咽頭ガンのような喫煙が関係するガンは今後減っていく傾向にあるといえます。

また、胃ガンや子宮頸ガン、肝臓ガンなど、感染に由来するガンも、対処法が見つかってきたことで徐々に減ってきました。

となると、残る問題は三つ目の「食事」ということになります。

前章でお話ししたメタボの問題ともつながってきますが、「増えているガン」のうち乳ガンや前立腺ガン、大腸ガンは、今後もなかなか減ることはないでしょう。

その理由はいうまでもありません。食事が原因であることがはっきりしているにもかかわらず、多くの人が改善しようとしないからです。手術や放射線、抗ガン剤などでせっかくガンを取り除いても、それでは再発は免れないでしょう。

ではなぜ、食事がガンを引き起こすことになるのでしょうか？　まずは食事と大腸ガンとの関係から考えてみることにしましょう。

ここで問題になるのは、いわゆる欧米型の食事です。具体的には肉類や牛乳・乳製品などが該当しますが、これらの食品ばかり摂っていると食物繊維が不足するため、腸内の悪玉菌が繁殖しやすくなってしまいます。

また、これらの食品には脂肪も多く含まれていますが、これは肝臓で分泌される胆汁酸《たんじゅう》で消化しなくてはなりません。

胆汁酸が分泌されること自体は体の正常な反応ですが、腸内の悪玉菌に分解されると毒性を帯びた二次胆汁酸に変化し、つねに腸の粘膜を刺激するようになります。この刺激が続くことによって大腸ガンが発症すると考えられているのです。

事実、あまり多くなかった大腸ガンの死亡者数が戦後の六〇年間にどんどん増え続け、現在、女性の死因のトップに躍り出てしまいました。

このデータを見て、欧米型の食事が無関係だという人はいないでしょう。

また、先ほど挙げた食物繊維の不足は便秘の原因になりますし、脂肪の摂り過ぎはメタボを引き起こす内臓脂肪の増加につながります。ガンのみならず、現代人の病気や体調不良の多くに関与していることがわかるでしょう。

満月の夜に狼男が変身するわけ

では、乳ガンの増加についてはどんな背景があるのでしょうか？

大腸ガンが女性のガンの死因の第一位に躍り出たといいましたが、罹患率（ガンにかかる人の割合）に関しては乳ガンが第一位です。

こうした乳ガンの増加の原因を理解するためには、「満月の夜に狼男が変身するのはなぜなのか？」を理解しなければなりません。

たとえば、春になると満月の日に砂浜に押し寄せて一斉に産卵するクサフグというフグ科の魚をご存じでしょうか？

このクサフグは、まずメスが大挙して砂浜に上がって産卵し、そのあとを追ってオスが大挙して砂浜に上がり放精をすることで次々と受精していくわけですが、それがなぜ満月の日なのか?

地球上の生物は海から生まれました。当初は地上には生物はいなかったのです。産卵をするとき、海の中には卵をねらう敵がうようよいます。そこで敵のいない地上に上がって産卵しようとしたのです。

もちろん、海に棲んでいた生物が陸地に上がるのは容易なことではありません。時間もかかりますし、崖があったら這《は》い上がることもできないでしょう。

そこで目をつけたのが満月の日です。満月になると月と太陽が地球を挟んで一直線に重なるため、引力の働きで大潮になり水位が高くなります。そのため陸地に上がりやすくなる、そのときをねらって産卵するようになったのです。

私たち人間もこうした海の生物の子孫です。月の周期に従って発情しやすくなるのも、この時代の習性を引き継いでいるからなのです。

そもそも、女性の生理も月の周期の影響を受けているため、月経と呼ばれていますね?月経は月の満ち欠けと同じようにおよそ二八~三〇日周期で起こり、この間に卵胞から卵子が放出され、受精の準備をします。

この排卵の前に体からいいにおいが出て、機嫌がよくなることが多くなるのは、そうやって異性（オス）を誘っているからです。

これに対し、排卵が終わると警戒心が強くなり、イライラするようになることが多くなるのは、おなかの中に宿った子供を守ろうという本能があるからです。

女性は初潮から閉経へといたる三五年ほどの期間、性交の有無《うむ》にかかわらず、このような月経周期を繰り返し、子孫を残す準備を続けているわけです。

乳ガンが急増した意外な理由

少々前置きが長くなってしまいましたが、問題となるのはここからです。

こうした月経周期には、「エストロゲン」と「プロゲステロン」という二つの女性ホルモンが働いています。

エストロゲンは「卵胞ホルモン」ともいい、排卵直後に分泌されることで知られます。エストラス（発情）を語源としていることからもわかるように、フェロモンを出して異性を引きつける働きがあるため、私は「女性らしさホルモン」と呼んでいます。

一方、プロゲステロンは「黄体《おうたい》ホルモン」ともいい、プロジェニー（繁殖）を語源としているように、母親になるための準備をする働きがあります。

生理前に胸が張るのは、このホルモンの働きによるものです。こちらは、「母親ホルモン」と呼べばいいでしょう。

この二つの女性ホルモンは、受精し、子供を産み育てるために欠かすことができないホルモンですが、エストロゲンには母乳を運ぶ管（乳管）を、プロゲステロンには母乳を作る小《しょう》葉《よう》という器官の細胞を増殖させる働きもあります。

つまり、生理でこれらの細胞が増殖するたびに、テロメアが消耗《しょうもう》されていくわけです。

ここで、昔と現代のライフスタイルの違いを考えてみましょう。栄養状態が現代よりも悪かった昔は、女性の生理期間も短い傾向にありました。初潮の年齢が一五歳くらいと遅く、逆に閉経は四五歳くらいとかなり早かったわけです。

これに加え、結婚年齢が早く、子供もたくさん産みました。

初潮が始まって数年で嫁入りして、すぐに出産。閉経するまでに五〜六人の子供を産み、一人の子に一年も二年も授乳をするのが普通だったでしょう。妊娠、授乳中は生理がないため、ほとんど生理がないまま閉経したのです。つまり、エストロゲンの分泌もとても少なかったので乳ガンが少なかった。

これに対して現代は、栄養状態が良くなったこともあり、初潮の年齢が早く、閉経が遅くなりました。しかも、結婚年齢が遅くなり、未婚の人も増えました。

こうした少子化が進んだ現代では、子供の数は一人くらいというのが普通でしょう。

つまり、昔の人に比べると生理回数がずっと多いことになります。ということは、エストロゲンも生理期間中にひっきりなしに分泌されるわけです。

こうしたエストロゲンの分泌によって乳管の上皮細胞のテロメアの消耗が進むと、ガン細胞が生まれやすくなります。

しかも、ガン細胞は女性ホルモンを栄養にして増殖することがわかっています。女性ホルモンは「発ガン因子」でも「ガン促進因子」でもあるのです。

欧米女性は閉経後にも乳ガンに

こうして見ていけば、現代の女性に乳ガンが増えた理由がよくわかるでしょう。

日本の社会が豊かになり、平均寿命も大幅に延びた。それはとても良いことではありますが、ガンやメタボのリスクは明らかに増大しました。

乳ガンに関しても、こうしたライフスタイルの変化の中で増加していったわけですが、ほかのガンと同様、欧米型の食事も大きく関係しています。

たとえば、乳ガンは三五歳～四〇代が好発年齢で、閉経した五〇代以降は減少していきますが、欧米ではむしろ閉経後に増える傾向にあります。

驚かれるかもしれませんが、肉や乳製品を日本の五倍摂っている欧米では、閉経後の乳ガンの発症率が日本の五倍にも及ぶことがわかっています。そして男性の前立腺ガンもちょうど五倍なのです。それはなぜでしょう?

肉や乳製品には「コレステロール」が多く含まれています。また、肥満の人も血中のコレステロール値が高い「高脂血症」の状態にあります。

このコレステロールは男性や女性の性ホルモンの原料にもなります。つまり、肉や乳製品ばかりの食事を続けていると、閉経後も女性ホルモンの分泌が増えて、乳ガンになる確率が何倍にもなるのです。

私自身、乳ガンの専門医としてこれまで数えきれないほどの患者さんを診《み》てきました。検査でガンが見つかったら手術で切除し、抗ガン剤を投与する。あるいは、放射線療法を行う。こうした治療をどれくらい続けてきたでしょうか。

手術も抗ガン剤の投与も放射線の照射も、患者さんの生命を助けるために行っているものですが、同時に体には大きな負担を与えてしまいます。

そうやって負担の多い治療をしても、再発したり、転移したりするケースは少なくありません。いや、ガンそのものが増えているわけですから、クリニックには新しい患者さんが次々とやってくるわけです。

——こんな治療をいつまで続ければいいのだろうか？　私の脳裏には、いつしかこうした疑問が湧いてくるようになりました。

できてしまったガンを、ただ治すだけではキリがありません。それよりも、この社会からどうしたらガンを減らしていくことができるのか？

このように考えるようになったことが、本書で私がしているような生活習慣改善の提案につながっていきました。私自身のダイエットが成功し、「二〇歳若返った」ことが強調されがちですが、その根底にはガンの克服という大きなテーマもあるのです。

これまで繰り返してきたように、病気を憎み運命を呪うのではなく、病気の原因となった行い（生活習慣）を反省し、その行いを起こした心を入れ替えることが、ガンを克服するうえでとても大切なことなのです。

ガンにならない体は若く美しい体

肺ガンになったとき、ガンを憎んでも仕方ありません。

ガンは喫煙で傷ついた肺を治そうとして現れた修復細胞なのですから。まず禁煙をして、ほかの喫煙者にも禁煙の大切さを説いて回るのです。

心筋梗塞になったとき、動脈硬化を憎んでも仕方ありません。

動脈硬化は肥満、甘い食べ物、喫煙で傷ついた血管を治そうとして現れたかさぶたなのですから。まず食生活の改善と禁煙をして、家族やメタボの友人にも正しい食生活と禁煙の大切さを説いて回るのです。

まだ病気になっていないからといって油断せずに、自分でも不摂生だなと思う生活習慣はいまのうちに改めていきましょう。

また、病気になったからといって、無気力になってしまい医者のいいなりにならないこと。

そうなってからでも遅くはありません。良くなるんだという希望を持って、生活習慣の改善をできるかぎり行っていきましょう。

若いときは悪行三昧《あくぎょうざんまい》、捕らえられてもなお悪態をついて、死刑直前で高い免罪符を買っても、極楽には行けません。

同じように、若いときは不摂生の毎日、健康診断で異常を指摘されても隠れてタバコを吸って酒を飲んで、ガンや心筋梗塞になり、あわてて高価なサプリメントや健康食品に頼っても助からないのです。

毎日お天道様《てんとう》に手を合わせ、今日生きていられることを感謝し、欲を捨てて真面目に働き、少しの食事をよく噛《か》みおいしくいただき、よく歩き早寝早起きをする――そんな当たり前のことをしていれば、病気にはならず、なった病気も再発はせず、健康で長生きすることができます。

それだけではありません。内面の健康は表に出るので、若く美しくなります。透き通るような肌と引き締まった体形を実感するでしょう。

——ガンにならないようにするには、あるいは再発を防ぐには、どんな食事をすればいいのか？　ここまでの記述でもヒントになることをお話ししてきたつもりです。

さらに具体的なことを知りたい人は、第六章の「細胞から若返る食事術」と第七章の「二〇歳若返るシンプル生活術」をご覧になってください。

第四章　免疫を高め過ぎてはいけない！

ガンと免疫力の関係

ここまでの章で、「ガン」と「メタボ」についてお話ししてきました。

これに関連して、ガンやメタボになった人の八割が、サプリメントや健康食品を服用しているといわれているのをご存じでしょうか?

その効用は「栄養補給」と「免疫力アップ」だというのですから、笑ってしまいます。

そんなサプリメントを売るほうも売るほうですが、買うほうも買うほうです。私からすると、どちらも「大馬鹿」です。

少々キツイ言い方に聞こえるかもしれませんが、「不足しがちな三種の栄養をこれ一粒で補給します」「一粒でレモン数百個分」——皆さん、こういううたい文句には弱いところがあるでしょう? さらに「いまなら半額」とか「三箱まとめればさらにお得」といわれると本当に弱いですよね?

しかし、栄養は過剰に摂取しても利用されません。

ビタミン・ミネラルを千倍摂ったら千倍健康になるわけではないのです。体は過剰な栄養を排泄《はいせつ》しようとするからです。

それどころか、栄養素の中には体に蓄積して害を及ぼすものもあります。

どんなにたくさんのサプリメントを摂っても、食事から完全栄養を摂らなければ、必ず足りない栄養が生じるのです。

「免疫力アップ」――皆さんはこの言葉にも弱いでしょう？「免疫力によってガンを叩く」ことができると信じていませんか？

でも、考えてもみてください。あなたのガンは「免疫不全」（免疫が働かなくなること）によって起きたのでしょうか？　そうではないはずです。

あなたの免疫力は普通だったはず。原因は生活習慣のはずです。

中には「ストレスで免疫力が低下していた」という人もいますが、それは大間違い。ストレスで副腎からアンドロゲンが出て、それが性ホルモンとなってガンを起こした。あるいは、ストレスで粘膜が傷ついて、それを修復するためにガン細胞が生まれたのです。

免疫力の低下でできるガンは、エイズのときのカポジ肉腫《にくしゅ》だけです。

原因が生活習慣であるにもかかわらず、生活習慣を改善せずに免疫力を高めるサプリメントを摂ってどうするのでしょうか？

私は二〇〇五年に『抗がんサプリメントの効果と副作用徹底検証！』（キャンサーネット・ジャパン編、三省堂）という本を出しました。市販されている主なサプリメントの科学的データを仲間の医師たちと二年間にわたって徹底検証したのですが、その結果わかったことは「ガンに効くサプリメントはない」「効くのは野菜や果物の皮だけ」ということでした。ある程度予想していたこととはいえ、ここまで効かないとは私自身ショックでした。それが、野菜の皮から取った「ゴボウ茶」を広めるきっかけになったのです（ゴボウ茶については第六章を参照）。

さて、前置きが長くなってしまいましたが、そうはいっても「免疫力アップ」は大切だと思っている人は多いでしょう。

そこでこの章では、皆さんの「固い頭」を柔らかくするために、免疫の働きについて詳しくお話ししていきたいと思います。

免疫力が高い状態は軍事国家と同じ

まず「免疫力が高い」とはどんな状態なのかイメージすることから始めてみましょう。

免疫とは体に備わった防御機能のことであるといいましたが、私たちの体を「国家」に見立てた場合、軍隊のようなものだと考えればいいでしょう。

外からやってくる敵（細菌やウイルス）に備えてある程度の「軍備」は必要ですが、あまり過剰になるとどういうことが起こるでしょうか？

ある「軍事国家」のお話をしましょう。

その国では国家予算のほとんどを軍備に回しています。国内では秘密警察が四六時中、国民を監視していて、敵を見つけたら即座に機関銃を発砲。

敵は倒せるかもしれませんが、その弾は市民にも当たるでしょうし、住居も破壊します。しまいには自国民を敵と見なして粛清《しゅくせい》を始めます。もちろん、こんな状況がずっと続いたら国土は疲弊し、国の機能は麻痺《まひ》してしまいます。

お気づきかもしれませんが、これが「免疫過剰」ということです。

免疫過剰な状態では、いつも白血球（マクロファージやリンパ球）がうようよして敵の侵入を見張っています。マクロファージは敵か味方かを見分ける力はありませんので、ウイルスを見つけたら即座にサイトカインを放出。サイトカインは機関銃のようなもので、ときに敵に当たらずに血管内皮細胞や肝細胞を破壊します。

リンパ球はパトリオットミサイルのように標的を的確に破壊しますが、標的の設定が間違っていることもあります。

本来、無害なはずの蕎麦粉や卵を敵と見なして、リンパ球が抗体を作ってしまえば、「食物アレルギー」を起こします。過剰な免疫がぜんそくや蕁麻疹《じんましん》を起こしてしまうのです。花粉症やぜんそくも、アトピーもみんな、もとはほとんど無害なものに抗体が生じて起きるアレルギーです。

免疫の暴走は止まりません。しまいには自分自身の細胞や組織を敵と見なして攻撃を加えます。これが「自己免疫疾患」です。リウマチなどの膠原《こうげん》病もそうですし、バセドー病（甲状腺機能亢進《こうしん》症）やI型糖尿病も、免疫過剰によって引き起こされます。

皆さんは「免疫力が高い」ことを健康的な状態と重ね合わせているかもしれませんが、免疫力は「ほどほど」がよいことがわかるでしょう。

インフルエンザで死ぬ理由

毎年、インフルエンザで多くの方が亡くなりますが、その原因も免疫の過剰が原因であるといったら驚かれる人も多いでしょう。

インフルエンザの語源は、「インフルエンス」、つまり「影響」を意味します。昔の人たちは、冬になるとこの病気が流行するので、「寒気」や「冬の星座」の影響だと考えていたわけですが、実際はそうではありませんでした。

冬にやってくる別なものの影響だったのです。

冬にやってくる別なもの――それは「渡り鳥」です。インフルエンザを引き起こすのは渡り鳥の腸の中に棲《す》んでいるウイルスなのです。

もちろん、鳥たちはそれで病気にはなりません。このインフルエンザウイルスと長い間共生してきたからです。

では、なぜインフルエンザウイルスが人間に感染するようになったのでしょうか？

それは、人口がどんどん増えていったからです。西暦一年に一億人程度だった世界の人口が二〇〇〇年前には五億人まで増え、それがいまでは六九億人。これだけ人口が増えてしまうと鳥たちの聖域も侵されます。

たとえば、鳥たちが越冬する土地で人間がアヒルを飼ったりするとしましょう。すると、まずアヒルにウイルスが感染します。そして、アヒルのウイルスが豚に、豚のウイルスが人間に……と徐々に感染が広がっていきます。

もちろん、ウイルスに感染したからといって、それがすべて危険とはいえません。ウイルスはほかの生物に寄生しなければ生きていけませんから、宿主（寄生先）が死んでしまったら自分も死ぬことになります。だから、彼らはもともと宿主を殺すつもりはなく、ずっと共生していたいのです。

実際、インフルエンザがはやっても、中年の人にとってはどうということはありません。ただ、小中学生以下の子供がバタバタ亡くなるケースがあります。これはなぜでしょう？

まず考えられるのは、いまの子供たちはずっと「無菌状態」で育てられているという点です。土や動物と触れ合えず、清潔な場所で生活することに慣れてしまっているため、自然界のウイルスや菌たちとうまくつきあうことができません。

こうした子供は、無害なはずの蕎麦粉や花粉が体内にほんの少し入っただけで免疫部隊が大騒ぎして、すぐにアレルギーを起こしてしまいます。

これと同様に、外からやってきたインフルエンザウイルスに対しても過剰な反応を起こします。マクロファージがサイトカインを放出するのです。

これは部屋の中の飛んでいるハエを機関銃で撃っているようなもので、ほとんどハエに当たらず部屋の壁をこわしてしまいます。つまり、無差別攻撃をすることで体のあちこちの臓器も傷つき、ひどい場合は多臓器不全を起こして死にいたることになるのです。この免疫反応を「サイトカインストーム」と呼びます。

インフルエンザで亡くなる人の中で子供たちが意外に多いのは、無菌生活でウイルスや菌に慣れておらず、免疫が過剰に働くことが原因なのです。

肝臓ガンの原因は過剰な免疫反応

ウイルスの感染ということでいえば、前章でお話ししたガンも大きく関係してきます。

たとえば、肝臓ガンはC型やB型の肝炎ウイルスによって引き起こされるといいましたが、これらのウイルスはもともと肝臓にごく普通に常在していたものです。

ウイルスも宿主である人間から栄養をもらっているわけですから、規則正しい生活をしていれば、暴れるようなことはありません。飲酒やストレスによるダメージに加えて、免疫の過剰な反応が肝臓を戦場と化してしまうのです。

もう少し具体的にいうと、肝炎ウイルスに対してもマクロファージはサイトカインを出して攻撃しようとするわけですが、ウイルスにはほとんど当たらず肝臓の細胞ばかりがこわされ、肝炎を起こします。

もちろん、傷ついた組織が修復されていけば肝炎も治まりますが、無理な生活を続けているとまた同じことが繰り返されますね。

すると、傷跡組織が過剰に作られて、肝臓全体がケロイドのように硬く変化してしまいます。これを「肝硬変」といいます。

肝硬変を治そうとして周囲の細胞が頑張って分裂すると、そのたびにテロメアが短縮します。それをなんとかしようと生まれるのが、無限に増殖するガン細胞です。

ウイルスに対する免疫過剰反応のサイトカインで肝炎になり、肝炎を修復するときの創傷治癒の過剰反応で肝硬変となり、肝硬変を治そうとして肝臓ガンになる――どれもこれも私たちの体が引き起こした過剰反応です。

こうして見ると、肝臓ガンを引き起こした原因はウイルスではなく、免疫と創傷治癒反応の過剰であることがわかるでしょう。

人間は自然界の動物や植物に対してだけでなく、自分自身の体に対してもずいぶんと負荷をかけながら生きているのです。

免疫の過剰は自分の体をむしばみ、健康状態を悪化させていることがはっきりしているのに、心のどこかで免疫に頼っていませんか？

実際には、免疫に頼るのではなく、生活習慣を改めないかぎり、病気は目に見えないところで進行していきます。

免疫力より大事な「免疫寛容」とは

ここまでの話をふまえれば、「免疫力が高まる」ということが体にとって必ずしもプラスにならないことが理解できるでしょう。

よほどタチの悪いウイルスや菌が入り込んできたらしっかり働いてもらう必要はありますが、それはあくまで「非常時」です。

これまで共生してきた常在菌やウイルスに対してまで攻撃を仕かけてしまったら、それは余計に病気が作られるだけでしょう。

私たちがかかる病気の原因は、ガンや動脈硬化のように生活習慣によるものが五〇パーセント、残りの半分二五パーセントは免疫の過剰によるのです。

免疫の過剰によってサイトカインのような化学物質が放出されるわけですから、臓器や血管が傷つき、老化にもつながるでしょう。

この章の冒頭でも述べたように、免疫は「ほどほど」がいいのです。無理に高めたりして、軍事国家のようにしてしまう必要はありません。

この免疫がほどほどに働いている状態は、「免疫寛容」とも呼ばれています。寛容の精神があれば、菌やウイルスとも仲良く共生していけるのです。

考えてみてください。免疫には「自己」と「非自己」を区別して、ウイルスや菌、あるいはガン細胞のような「非自己」を排除するシステムが備わっていますが、外部から取り入れる食べ物も一種の異物ですから、「非自己」ということになります。でも、こうした食べ物が排除されてしまったら、栄養摂取ができませんね。

また、ここまでお話ししてきたように、体内に常在しているウイルスや菌の中には、普通に暮らしているかぎり体に害を及ぼさないものもたくさんいます。

さらに善玉菌として悪玉菌の繁殖を抑えてくれる菌もたくさんいます。

皮膚や鼻腔《びくう》に生息するブドウ球菌、口腔《こうくう》内の連鎖球菌、大腸の大腸菌、膣のデーデルライン膣桿菌《かんきん》などです。こうした菌のすべてを敵と見なして攻撃を加えていたら、生きていくことができないでしょう。

私たちの体に免疫寛容のシステムが備わっているのは、「無益な殺生はしない」ということを体がよく知っているからなのです。

「無菌生活」から抜け出すと

では、こうした免疫寛容をどうやって働かせていけばいいでしょうか？

まず心がけてほしいのは、これまでの「無菌生活」から抜け出して、体を菌やウイルスに慣れさせておくということ。

私たちは、お母さんのおなかの中にいるときはまったくの無菌状態ですが、この世に生を受けた瞬間から様々な菌やウイルスとの共生が始まります。口から喉、皮膚、腸など、体のあらゆる場所に常在菌がいることが当たり前の状態になるのです。

それはときに悪さをすることもあると思いますが、逆に腸内の善玉菌のように健康に寄与し、有害な菌やウイルスから体を守ってくれることもあります。

誰もがこうした状態の中で成長し、免疫寛容を作りながら大人になっていくというのが普通なのですが、都会で暮らしているとなかなかそうはいきません。なによりもまず、土と触れ合う機会が少ないからです。

土からは植物が生え、植物を動物が食べ、その排泄物は土の中の微生物によって分解され肥料となり、そこにまた植物が生えます。

道路や空き地、学校の校庭が舗装されて清潔志向が進むことで、こうした命の循環がこわされ、無菌生活が日常化してしまいました。

これでは免疫寛容を作ることは難しくなります。花粉症のようなアレルギーが急増していったことも、決して不思議ではないでしょう。

できることならば、自然に触れる機会を日頃から少しでも持つようにしてください。

昔は洟《はな》を垂らした子供がたくさんいました。お菓子を道に落としても、はたいて食べることは当たり前、いまから見ればずいぶん不潔な生活をしていた気がしますが、じつはそれが免疫寛容を作るうえでとても良かったのです。

洟を垂らしているからといって、すぐ抗生物質を投与するのはやめること。常在菌が死滅するうえに、とんでもない耐性菌が繁殖するからです。

熱があっても解熱剤《げねつざい》は必要ありません。熱があるということは、いま細菌やウイルスと共生しかかっている証拠なのです。

子供たちは、熱が出るたびにいろいろな菌に馴《な》れ親しんでゆく。薄着をさせて水分を与えておけば医者に診せる必要もありません。

もちろん、抗菌グッズもいりません。お子さんをお持ちの方は、テレビゲームばかりさせていないで、外でしっかりと遊ばせて、泥だらけになって帰ってきたらほめてあげるようにしてください。

菌を交換するという意味では、保育園や幼稚園で風邪やはしかをうつし合うのもとてもいいことです。過剰に恐れる必要はどこにもないのです。

肌は洗うとうるおわなくなる

こうした行き過ぎた清潔志向は、入浴のときにも見られます。

皆さんは、体を洗うときに何で洗いますか？　ナイロンタオルですか？　それともスポンジですか？

これらで洗ったあと洗面器ですすぐと、たくさんの垢《あか》が浮くでしょう。それを見て、「汚れが落ちた」と思うでしょうが、じつはそれは皮膚の保護膜なのです。

私たちの皮膚は、①角質②皮脂③善玉菌という保護膜が、病原菌の侵入や紫外線などから身を守ってくれています。

タオルやスポンジでゴシゴシと体を洗うことで、わざわざこうした保護膜を削ってしまっているわけです。

これを毎日続けていると、皮膚は無防備な状態になります。すると、次のような皮膚のトラブルが頻繁《ひんぱん》に見られるようになるでしょう。

シミ……紫外線が皮膚を透過しやすくなり、色素沈着を起こします。また、こすり過ぎた刺激によっても色素沈着が起こります。

黒皮症《こくひ》……ナイロンタオルで背中をこすり続けると、皮膚は削られた保護膜を回復させようとして、角質を増やそうとします。その結果、背中の皮膚が真っ黒に変化する「黒皮症」が現れます。

肝斑《かんぱん》……化粧を落とそうとして洗顔し過ぎても、保護膜が失われてしまいます。まず、紫外線と色素沈着によって頬《ほお》にシミができます。それを隠そうと厚化粧をして、化粧を落とそうとスクラブ洗顔をすると、レーザーでも治らない頑固なシミができ上がります。これが「肝斑」です。

かかとのかさつき……かかとは全体重がかかるため、角質ができやすい場所です。この角質を軽石で削ってしまうと、体はさらに角質を作って保護しようとします。かかとはこすったり削ったりせず、湯上がりに保湿クリームをたっぷり塗って保護すれば自然と軟らかくなります。

乾燥性皮膚炎……風呂で体を洗い過ぎると皮膚が乾燥します。特に冬は寝るときに体中がかゆくなります。それをかくと毛穴がつぶれ汗が出なくなるため、夏になって寝汗をかくようになったとき、さらにかゆくなります。

自己感作《かんさ》性皮膚炎……皮膚をかきまくったときに、皮膚の細胞が血中に入ると異物として認識され、それに対する免疫が働き、自分の皮膚を自分で攻撃するようになります。一種の膠原《こうげん》病です。

こうした皮膚のトラブルを回避し、改善させていくには、まず体を洗い過ぎる習慣を改めていくことが大事です。

手のひらで石鹸《せっけん》を泡立てて、陰部や足の裏など汚れている部分をなで洗いをするだけで十分。手のひらでなで洗いしていると、乳ガンやリンパ節の腫れも早期に発見することができて一石二鳥でしょう。

誰でも実践できる花粉症の撃退法

最後に、私が考案した、とっておきの花粉症対策についてお伝えしましょう。

白状をすると、かくいう私もずっと花粉症に悩まされてきました。学生時代の喫煙のせいで粘膜が傷つき、花粉が侵入しやすくなっていたからです。

アンチエイジングに成功して体調が劇的に改善されてからも花粉症だけはなかなか治せないでいたのですが、ようやくいい方法を見つけました。

次に挙げるように、誰でも実践できるとても簡単な方法です。これを実践することで、この数年、花粉症の発作がまったく出なくなりました。

1　外出時にマスクをつけない
2　口呼吸で花粉を取り込むようにする
3　薬を一切使わない
4　朝起きたら濃いめのゴボウ茶を飲む
5　かゆくなっても洟をすすったり目をかいたりしない

「こんな方法で花粉症が本当に改善できるのか」と不思議に思う人もいるでしょうが、じつは医学的にも裏づけがあるもの。「サルズバーガー－チェイス現象」、または「経口免疫学的寛容」などの考え方に基づいています。

たとえば、鼻からコショウを吸ったらくしゃみが出ますが、口から摂ればなんともないのはなぜでしょうか?

鼻は外界からの異物を排除するのが役割ですが、口はさまざまな異物を栄養として取り込まなければなりません。そのため、鼻から入った異物には免疫が働きアレルギーが起こりますが、口から入った物には免疫を抑制する「免疫寛容」が働いてアレルギーが起こりにくくなるからです。

これを利用して、医療現場では、「減感作治療」が行われています。

花粉を何千倍も濃縮した液を毎日舌の裏に垂らすことで、花粉に慣れさせ、花粉症が起こらないようにするのです。マスクをしないで口呼吸をすることによって、こうした治療と同じ効果を得ることも可能です。

これに対して、薬で免疫を抑えてしまうと減感作は起きにくくなります。まず思い切って飲み薬、点鼻薬、点眼薬をやめてください。その代わりに、朝起きたらすぐにゴボウ茶を飲んでみるといいでしょう。

ゴボウはもともと漢方薬です。慢性、あるいはアレルギー性の皮膚炎、気道炎などに効果が期待できるため、アトピー、蕁麻疹、ぜんそく、花粉症などで悩んでいる人は、濃いめのゴボウ茶を飲むようにするといいでしょう。

ただ、せっかく発作が抑えられていても、洟をすすったり目をかいたりすれば花粉が侵入してしまいます。

こうしたときは、次の私のアドバイスを参考にしながら、ここ一番我慢をしましょう。

かゆくてたまらないときは？

アレルギーや虫刺されによって、そもそもなぜかゆみが引き起こされるのでしょう？　唐突に思えるかもしれませんが、この謎は「クジャクのオスの羽はなぜ美しいのか？」を考えていくと理解ができます。

クジャクのオスが美しい羽を誇らしげに見せびらかすのは、ダニなどの寄生虫に侵されていない健全な肉体をメスに示そうとするためです。

メスは自らの遺伝子をこの世の中に残すために、こうした健全な肉体を持った、生殖力に優れているオスを選びます。

そのためクジャクやほかの動物は、ダニがいると「かゆみ」として感知して、それをかいてダニを排除しようとします。しかも、かくとご褒美《ほうび》として中枢神経から気持ちよさを感じるエンドルフィンが分泌されます。

自分の健全さを誇示するために、こまめに毛づくろいをするのは「かゆみ遺伝子」を持っているからなのです。

つまり、かゆみに敏感で、すぐにかくものだけが子孫を残すことができたわけです。私たち人間もそうした生物の一員ですから、わずかな異物が侵入しただけでもかゆみが生じ、それをかくと気持ちが良くなります。

しかし、このかゆみ遺伝子に踊らされて、アトピーや花粉症の人がかきたいだけかいてしまうと、炎症を起こし、免疫の過剰反応はどんどん増幅されていきます。

だから、大事なのは遺伝子に負けずに、意志の力でかかないようにするということ。かゆみを受け入れ、かく習慣を排除することです。

つらいのはよくわかりますが、アレルギーによって引き起こされるかゆみは、免疫の過剰反応によって引き起こされたもので、花粉や蕎麦粉の中にかゆみ成分が存在するわけではありません。かいたことによって免疫細胞から分泌された「ヒスタミン」によって、かゆみは出てくるものなのです。

これは蚊に刺された場合も同様です。

蚊は口吻《こうふん》というくちばしで皮膚を刺したとき、抗凝固作用を持った唾液《だえき》を先に注入して血液を固まりにくくしてから吸います。

この唾液がかゆみを起こすといわれていましたが、これはおかしな話です。刺した途端にかゆくなるようでは、蚊はすぐに見つかって叩き殺されてしまいます。ですから蚊はかゆみを起こしたくないのです。

では、なぜかゆくなるのでしょう？　それは私たちの免疫が蚊の唾液を異物と認識してアレルギー反応を起こすからです。

さらに蚊が吸っている途中で叩くと皮膚に唾液が多く残ってしまいます。ですから、蚊に唾液ごと腹いっぱいに吸わせてしまい、そのままかかずに放っておいたほうがかゆみは生じにくくなります。

かゆいと感じることがあっても、自分の脳をしっかりコントロールして、こうした体の反応に振り回されないようにしてください。

不思議に思われるかもしれませんが、こうして「このかゆみは本当のかゆみではない。脳が作った幻想なのだから、これに振り回されてはいけない」と思うようにすれば、かゆみはだんだん気にならなくなっていきます。

イメージトレーニングで健康に

これだけではなかなか納得できない人もいるでしょうから、脳の不思議な働きについてもう少し補足しておきましょう。

それは、脳は思い込みが強く、暗示に弱いというもの。たとえば、「熱湯だ」といって冷たい水をかけると、その瞬間、脳は「熱い！」と認識します。

あるいは、乳ガンの患者さんの皮下乳腺を全摘すると、神経が傷つくため手術直後はなにも感じませんが、一ヵ月もするとチクチクとした痛みやムズムズしたかゆみを感じるようになります。

患者さんはガンが再発したのではないかと心配し始めますが、「これは神経が回復しているときに現れる徴候の一つですよ」とお話しすると、安心して急に痛みを認識しなくなります。そればかりか、「春になって木の切り株から青々とした若葉が萌えいずるように神経が回復している」とイメージしてもらうと、痛みやかゆみそのものがまったく気にならなくなっていきます。

私たちの脳は非常に単純にできているため、「かゆいかゆい」と思うとかかずにはいられませんが、「かゆみなんて存在しない」と自己暗示してかかないようにすれば、それだけでかゆみは治まるのです。

免疫を過度に働かせることなく、ここでお伝えしたようなイメージトレーニングにトライすることが免疫寛容を作り、健康を手に入れる近道になるでしょう。

第五章　「老い」にも「病気」にも意味がある！

健康は数値ではわからない

これまでずっと「病気」の話をしてきたので、この章では「健康」についてまとめてみることにしましょう。

皆さんは、頭が良いかどうかは「学校の成績」で評価しているでしょう。そして、太っているかどうかは「体重」で評価しますね？

同じように健康かどうかを「病院の検査値」で評価しているはずです。なぜなら、数字で評価するのが一番わかりやすいからです。

しかし、成績が悪くても、じつは天性の才能があるかもしれません。体重が多くても、筋肉質で引き締まっている場合もあります。同じように血圧が若干高くても、その人にとっては最適の血圧である場合もあるでしょう。

その逆に、成績は良いのに常識が欠如した「人間失格」の人もいますし、体重が普通でもメタボの人もいます。検査値が正常でも、生活習慣がでたらめで、いつも体調不良を訴えている人もいます。

つまり、健康であることとは「検査値が正常である」ことや「病気でない」ことを指しているのではありません。

たとえ検査値が異常でも、日常生活に支障がなければ病気とはいえませんし、たとえ病気があっても、快適な人生を送ることができれば健康といえるのです。

ガンを経験した人は、まわりから「ガン患者」と呼ばれます。あたかも人生の「敗者」であるかのようなレッテルを貼られてしまうでしょう。

しかし、ガンになったことをきっかけに人生の目的を知ることができます。こういう人は不摂生を慎み、一日一日の人生を感謝しながら、大切に生きていることが多いのです。まさに健康な生き方ではないでしょうか？

健康とは数値や病名ではなく、その人の行いと心の正しさであるといえます。

これを「一病息災《そくさい》」といいます。

仏の心を持っている人に、立派な仏像は必要ありません。

自分の生活習慣にやましさを持っている人ほど、数値を気にして、数値が良ければ調子に乗り、悪ければ医師にすがって、薬やサプリメントをもらいたがるものです。

検査や薬、サプリメントが「免罪符」になっているのですから、そうした生き方をしていること自体、とても健康的とはいえないことがわかるでしょう。

動物界ではオスが美しい理由

さて、「健康」は数値のように目に見えるものではなく、心と行いの中にあるものだといいましたが、「若さ」と「美しさ」はどうでしょうか?

こちらはハッキリと目に見えますね。美しさが目に見える形で確認できるのは、動物の種の保存と関係しています。

動物のオスは自分の遺伝子を後世に残すために、生殖を行います。より多くのメスと交尾するためには、自分自身が優れた存在であることをアピールしなければなりません。

前章でクジャクのオスが美しい羽を持っている理由についてお話ししましたが、あのような美しい羽を広げることで、自らの肉体の健全さをメスにアピールしているわけです。オナガドリのオスの尾が長いのも、熱帯魚のオスが美しいのも、すべて自分が健康で、優れた遺伝子を持っていることを誇示しているのです。

動物のように「婚姻制度」がない場合は、より多くのメスと交尾することによって、より多くの子孫を残そうとします。そのためにはオスは「多くのメスから支持される美しさ」を持っていなければなりません。

それだけではありません。若いということは、まだ生殖年齢に達していないと見なされる恐れがあります。そのため動物の社会では「老いを誇張」することすらあります。

たとえば、ゴリラは年齢を重ねていくと背中に「シルバーバック」という白い毛が生えてきますが、これは成熟の証しとしてもてはやされます。

群れのボスも、このシルバーバックの持ち主の中から選ばれます。

若い頃は毛が真っ黒ですが、成熟するにつれてシルバーバックに変わっていき、次第に威厳が出てくるのです。

白馬も同様です。生まれたときは黒ブチの毛が生えていますが、これはまだ無力なので敵に見つからないよう保護色にしているのです。それが成長して大人になっていくにつれ黒ブチの毛が抜け、美しい白毛に変わっていきます。

自然界に生きる動物にとって白は目立つ色であり、目立つことはとても危険なことであるわけですが、同時にそれは「敵を威圧する行為」であり、「異性から注目される行為」でもあるということです。

目立つ色をしていることによって、敵はおののき、異性は憧《あこが》れるでしょう。

一匹のオスが多数のメスと交尾するわけですから、オスには美しさが求められる。対してメスは、たいてい交尾できるわけですから、美しくある必要はありません。

「若さ」と「美しさ」の原点は、こうした動物たちの生態の中に見出すことができるわけなのです。

人間界で女性に求められるもの

人間においても、美しさは子孫を残すために重要な要素になります。

しかし動物と異なることは、美しさを競うのは女性のほうで、男は美しさに無頓着なことが多いということです。

これは婚姻制度とも関係してくることですが、男は基本的にたった一人のパートナーとしか生殖することができません。そのため、パートナー選びに慎重になる。よって、選ばれる側の女が美しさによって男の目を引こうとするのです。

ただ、女性の老化は早く、「二五歳はお肌の曲がり角」というように二〇代半ばで早くも女性ホルモンが減少し始め、老化が始まります。

さらに女性は、出産のたびに体形が大きく崩れます。

まず妊娠によって乳頭が大きくなり、乳輪が黒くなります。これは赤ちゃんが乳頭を見つけやすく、くわえやすくするためです。

全身の体毛が濃くなり、肌も黒くシミになりやすくなります。これは、敵から身を守るための保護作用の一つです。そして、おなかの赤ちゃんに栄養を与えるために太りやすくなるのです。

さらに、出産後はおなかに「妊娠線」が、太ももには「肥満線」が、乳房には「授乳線」ができて、ウエストも乳房もしぼんで垂れてきます。

やがて五〇歳になると閉経します。このとき女性ホルモンの分泌が止まることにより、体中のうるおいが失われます。

皮脂の分泌が少なくなり「乾燥性皮膚炎」に、涙の分泌が少なくなり「乾燥性結膜炎」に、唾液の分泌が少なくなり「乾燥性口内炎」に、膣内の分泌物が少なくなり「乾燥性膣炎」になります。また、体が男性化してメタボになりやすくなります。

こうした点をふまえると、うつろいやすさこそが「若さ」や「美しさ」の本質なのだとわかるでしょう。

生きているかぎり、年を取らないわけにはいきません。ならば、ワインのように年を取っていくことを目指してはどうでしょうか？

ボルドーワインの格付けで一級にランクされる「プルミエ・クリュ」になると、製造してまだ日の浅い状態では誰も飲もうとしません。そうしたワインが一〇年、二〇年と熟成するに従って価値が出てくるのです。

ただ「若さ」に頼って無為な人生を送っていれば、「美しさ」も日に日に衰えていきますが、自己を磨きながら人生を送っていれば、美しさは輝きを増します。そのときの変化を人は「老化」と呼ばず、「成熟」と呼ぶでしょう。

この本の冒頭でもお話ししたように、「美しさ」とはお化粧や服飾で飾った外観のことではありません。化粧を落とした素顔、矯正下着を取り去った裸の美しさであり、それは内面の健康と知性の表れといっていいでしょう。

こうした真の健康なくして、真の美しさが生まれることはありません。

実年齢にかかわりなく、年を取っても夢を持ち、生きていることに感謝し、毎日を喜んで生きている人は、若々しく見えるはずなのです。

「スモーカーズフェイス」の秘密

では、こうした「若さ」と「健康」を奪い、成熟ではなく老化や病気をもたらす最大の因子は何なのでしょうか?

まず真っ先に挙げられるのが「喫煙」でしょう。

タバコを吸っている人の顔を見ると黒ずんでいるのがわかると思います。このほかにも目の下にクマが出てくるほか、皮膚がわら半紙のように乾燥して、ちりめんジワが寄ってしまうことも珍しくありません。

この喫煙者特有の顔貌《がんぼう》を「スモーカーズフェイス」と呼びます。喫煙によって、なぜこのような変化が起きるのでしょうか？

すでにお話ししてきたように、喫煙をすると数百種類の有害な化学物質が血中を流れ、血管の内皮細胞を傷つけます。そして、その傷口にコレステロールや血液中の繊維がこびりついてかさぶたになります。

このかさぶたによって動脈が硬く変化することを「動脈硬化」といい、動脈硬化が進むと血管の内腔が狭くなって血液が流れなくなり、その先の組織が死んでこわれます。このことを「壊死」といいます。

心筋梗塞、脳梗塞はこうして起こるわけですが、私たちの体はただ黙って見守っているわけではありません。これを防ごうとして、白血球から「エラスターゼ」という分解酵素を放出し、かさぶたを溶かそうとします。

皮膚の三大若返り物質である「コラーゲン」「ヒアルロン酸」「エラスチン」のうち、エラスターゼはエラスチンを溶かす物質として知られています。

つまり、動脈硬化で詰まりそうな血管を治すためにエラスターゼがたくさん分泌されると、肌の若返り物質エラスチンも分解され、肌はどんどん老化してゆきます。肌の張りや透明感は失われ、肌がくすんで小ジワが寄るのです。

エラスチンが失われるのは肌だけではありません。肌以上に弾力を必要としている臓器――意外に思われるかもしれませんが、それは肺です。

肺は膨らんだり縮んだりしながら空気を出し入れしているため、先端にある肺胞は非常に弾力性のある組織になっています。

エラスターゼによって肺の弾力が失われてしまえば、肺が広がりっぱなしになってしまい、息を吸うことも吐くこともできなくなります。

これを「肺気腫」といいます。肺気腫は治ることはなく、一度なると呼吸困難な状態が死ぬまで続くことになります。

日光浴は肌を老化させるのか

タバコで皮膚が黒くなるのはいかにも不健康ですが、日光浴で日焼けするのには健康的なイメージがあるのではないでしょうか?

夏になると真っ黒に日焼けしている人も多いと思いますが、じつは、この日焼けも皮膚の老化因子の一つにほかなりません。

紫外線には、波長の長い順にA波、B波、C波という三つの種類があります。

波長が長いほど体の奥まで届き、また、波長が短いほど生物に与える障害が大きいという特徴があります。ただ、C波は殺菌灯に使われるほど毒性が強いのですが、幸い大気中に吸収されて地上まで届きません。

これに対して、A波は皮膚の奥まで達し、色素細胞を刺激しメラニン色素を分泌させるため、皮膚が黒くなります。これは「サンタン」と呼ばれます。

B波はA波ほど地上には届かないのですが、一度皮膚に当たると真っ赤に火傷《やけど》を起こします。こちらは「サンバーン」といいます。

B波は皮膚ガンの引き金にもなりますから、夏に海で日焼けするなど、じつは自殺行為なのだとわかるでしょう。

紫外線にもビタミンDを合成させ、骨を丈夫にしてくれるなど、プラスの効果はありますが、そのために必要な日光浴の時間は、「指先一本を一〇分間日に当てるだけでよい」といわれています。

最近では、こうした紫外線の問題が認知されるようになってきたこともあり、保育園や幼稚園でも「SPFの入っている日焼け止めを塗ってからお子さんを遊ばせてください」というところが増えてきています。

SPFとは「サン・プロテクション・ファクター」の略で、紫外線の防止効果を表す数値のことをいいます。この数値が高いほど日焼け止めの効果が高くなります。

もともとメラニン色素は、紫外線によって皮膚細胞のＤＮＡが障害されないようにするための体の防衛策であるため、決して悪いものではありませんが、シミがたくさんできてしまえば年寄り臭くなってしまいます。

いくら自己防衛だといったところで、シミなどないに越したことはありませんね。

そこで私はカバンの中にいつも折りたたみ傘を入れておいて、日差しの強いときは日傘として利用しています。

男で日傘を差しているのは珍しいのですが、背に腹は代えられません。なんといわれようと美肌をずっと保っていたいですから。

なお、シミを取るための一番いい方法は、睡眠です。

特に成長ホルモンが分泌される夜一〇時から深夜二時までは、睡眠のゴールデンタイムに当たります。この時間帯に睡眠をとるようにすると、メラニンが吸収されて肌が白くなる効果が得られます。

この点については、第七章で詳しくお話しすることにしましょう。

ハゲは人類の進化の証し

では、老化のサインの一つと考えられる「ハゲ」はなぜ起こるのでしょうか？

ハゲというと毛根が失われた結果と思うかもしれませんが、ハゲの本態は「薄毛」であって、毛根の数は毛が生えていたときと変わりません。

しかも、ハゲの正式名称は「若年性脱毛症」、またの名を「男性型脱毛症」といって、老化とは関係のない、若い世代の男性に起きる現象なのです。

男の体は、男性ホルモンによって調節されています。

男性ホルモンは、じつは「多毛ホルモン」でもあります。その証拠に、ライオンにはオスだけに立派なたてがみがありますね？　こうした例からも明らかなように、男性ホルモンの働きで、髪の毛やひげ、体毛が濃くなるのです。

では、なぜ男性ホルモンによって体毛が生えてくるのでしょうか？

答えは簡単です。戦いから体を守るためにフサフサとした毛が必要だからです。

ライオンのオスのたてがみにしても、その長い髪で敵を威嚇《いかく》し、戦う前に屈服させてしまうために用いられているのです。

ただ、こうした毛があまり伸び過ぎてしまっても困ったことになります。

映画『スター・ウォーズ』に顔が毛むくじゃらのキャラクターが登場しますが、あんなふうに毛が伸びてくると前が見えなくなりますね？

あれでは目の前の敵をキチンと捕らえることができず危険ですし、そもそも敵の存在に気づけないケースも出てくるでしょう。

そのため、進化の過程で顔にはあまり毛が生えないようになりました。といっても、毛根までなくなったわけではありません。顔の毛根には多毛ホルモン（男性ホルモン）を薄毛ホルモンにする転換酵素が備わるようになったため、まゆ毛やひげを除き、顔には産毛《うぶげ》程度しか生えなくなったのです。

それだけではありません。人類がさらに進化していくことで、表情によるコミュニケーションが大切になってきました。

その結果、先ほどの転換酵素がどんどん働くようになり、薄毛ホルモンの領域が増えていきました。生え際が後退していき、この領域が額を越えて頭部にまで広がってしまったのが男性型の脱毛、つまりはハゲということになるのです。

こうして見ていくと、「頭がハゲる」ということは老化現象とはいえないことがわかると思います。むしろ、進化の証しといったほうがいいでしょう。

加齢臭や肌のシミ・シワのように、肉体の衰えや病気と直接つながっているわけではないのですから、毛が薄くなることをあまり気にする必要はありません。

むしろ、毛むくじゃらの人よりも進化しているわけですから、誇ってもいいくらいではないでしょうか？

こうした認識が広まれば、世の中の美意識が徐々に変化していくかもしれません。

ストレスで毛が抜けてしまうわけ

ハゲの話題が出たので、ストレスとの関連についてもお話ししておきましょう。

「ストレスで毛が抜けた」という話を聞きますが、これは本当でしょうか？

結論を先にいってしまえば、これは本当のことです。

男の体は男性ホルモンで、女の体は女性ホルモンで調節されていますが、この性ホルモン量はつねに一定に保たれるように「フィードバック」機能が働いています。

つまり、性ホルモンが少なくなると、脳の「視床下部」という内分泌系の調節中枢に情報が送られ、この視床下部からの命令で「下垂体」が卵巣や精巣に刺激ホルモンを送ることで性ホルモンが分泌されます。逆に性ホルモンが多くなると、視床下部は下垂体に刺激ホルモンの分泌を控えるように命令します。

性ホルモンは、このように、つねに一定になるよう調節されているわけですが、その一方で、腎臓の上の副腎にもホルモンを作る場所があります。

ここで作られているのは、ストレスに対応するための「とうそう」ホルモンです。

「とうそう」とは「闘争」であると同時に、「逃走」でもあります。

つまり、敵との戦いや、反対に敵から逃げることを指します。なぜなら、精巣からの男性ホルモンはつねに一定になるように調節されているので、とっさに間に合いません。また、女性ホルモンには戦いの機能そのものがありません。

そこで、副腎が非常時の男性ホルモン（副腎アンドロゲン）を作って、いつも戦いに備えているのです。

つまり、普段ストレスがないときは、使わずに蓄えておくだけ。しかし、いざストレスがかかると、どっと放出される。

こうした副腎アンドロゲンの働きは、外観にも影響を与えます。

まず、戦いによって皮膚が傷つかないように、多毛になって皮膚の脂分も多くなります。また、色も黒くなって紫外線から身を守ります。

皮脂が多くなれば、皮膚が脂ぎって「ニキビ」や「フケ」が生じ、「ワキガ」にもなります。女性ならば生理不順になるでしょう。

お気づきかもしれませんが、ストレスで男性の毛が抜けてしまうのも、そうした副腎アンドロゲンの作用の一つです。

男性ホルモンは多毛ホルモンでもありますが、男性の額の毛根にはこの多毛ホルモンを薄毛ホルモンに換える「転換酵素」があるとお話ししましたね？

この酵素が働くことで、副腎アンドロゲンが分泌されてしまうような過剰なストレスがあると、髪の毛が抜けやすくなるのです。

加齢臭やフケはバロメーター

年を重ねて「オヤジ」になっていくと加齢臭に悩まされる人が出てきますが、この原因も男性ホルモン（アンドロゲン）と関係があります。

ストレスがたまると皮脂の分泌が過剰になるといいましたが、老化した肌は皮脂をうまく排出させることができません。

そのため、処理しきれない分が酸化して「脂肪酸」を作ります。この脂肪酸に含まれる「ノネナール」という特有のにおい物質が加齢臭のもとになるのです。

また、オヤジの悩みの一つであるフケ（脂《し》漏《ろう》性《せい》湿疹《しっしん》）も、ストレスによってアンドロゲンが分泌されることで増えていきます。

皮脂腺が刺激される点は加齢臭と同じですが、髪の毛の生え際であることから皮膚の角質を増加させ、それがフケになってしまうのです。

どちらも皮脂そのものが悪いわけでないことはわかりますね。

脂は体を保護するために欠かせない成分なのですから、分泌されなくなってしまったら、それはそれで大きな問題です。

要は代謝が落ちてきているのに、若い頃から続けてきた不摂生な生活をやめられないでいると、体が過剰に摂取した脂を処理しきれずイヤなにおい（＝加齢臭）や皮膚のカス（＝フケ）が発生するようになるのです。

では、加齢臭やフケと不摂生はどのような関係があるのでしょうか？

前にもお話ししたように、性ホルモンの原料はコレステロールです。つまり、肉類や乳製品の摂り過ぎ、太り過ぎ、飲酒などの不摂生によって血中のコレステロールが増えると、アンドロゲンの分泌も増加する――これが加齢臭やフケにつながってくると考えればいいでしょう。

つまり、不摂生をやめて、代謝を高めていかないとなかなか改善はできません。

仕事などで大きなストレスを抱えたときには、外でお酒を飲まずに家に帰ってごはんを食べ、早寝をするように心がけてください。そうすれば加齢臭もフケもだんだん出なくなっていきます。もちろん、体調そのものがよくなり、病気のリスクも減るでしょう。

労災でサラリーマンが過労死したという話を聞くことがありますが、お酒も飲まず、タバコも吸わず、それで過労死になったという人はほとんどいません。

疲れているのを飲酒や喫煙で紛《まぎ》らし、夜更《よふ》かしを続けることが体調を崩し、寿命を縮めることにつながるのです。

加齢臭やフケは、そうした肉体酷使のバロメーターと思えばいいでしょう。

年頃の娘はなぜ父親を毛嫌いするか

加齢臭に関連して、もう一つ興味深い話をしたいと思います。

「年頃の娘が父親のにおいを嫌う」とよくいわれていますが、いくら加齢臭があったとしても奥さんはそこまで過敏にはなりませんね？ じつはこれは、思春期の女性に見られる特有の反応なのです。

まず注目してほしいのは、父親と娘の血のつながりです。

免疫細胞として働いている白血球にはＨＬＡ（ヒト白血球型抗原）という遺伝子があり、自分と他人が血縁的にどれだけ近いのか（遠いのか）ということを識別しています。

このＨＬＡを比較すると、父親と母親はもともと赤の他人ですからかなりかけ離れていることになります。別の言い方をすれば、ＨＬＡがそれだけかけ離れているからこそ互いが惹《ひ》かれあい、結びついたといえるわけです。

これに対して、娘は父親から遺伝子を半分もらっていますから、ＨＬＡはかなり近いことになりますね？ ＨＬＡが近い者同士が生殖を行うと、種の多様性は保たれなくなります。

子供の頃、あれだけなついていたのに、思春期になったら毛嫌いされるようになった。臭いといわれるようになった。

これはにおいによってHLAの近い異性をかぎつけ、近づかないようにしているのです。ですから、父親に対しては「オヤジ臭い」といい、洗濯物のパンツなどは汚そうにつまんだりするのに、よそのおじさんとは仲良くつきあったりする。それは、種の多様性という観点では決して不思議といえないことになります。

いずれにせよ、娘さんが思春期になればただでさえにおいに敏感になるわけですから、世のお父さんはしっかり加齢臭対策に努める必要があります。

イヤなにおいがなくなれば自分自身が快適になれるわけですから、そうしたにおいを生み出す不摂生を少しずつでも変えていくように努力してください。

「心・美・体」をいかに調和させるか

ここまで人が老いること、病気になることをどのようにとらえればいいのか、いくつかの例を挙げながら考えてきました。

ここで私の考え方を整理して、皆さんにお伝えすることにしましょう。

人は年齢を重ねていくとともに老いていきます。これは自然の摂理ですが、私は病気や体調不良を伴う「老化」ではなく、経験を積むことで心身がさらに充実していく「成熟」と呼べるような変化が理想であると考えています。

では、こうした心身の成熟は何によってもたらされるでしょうか？ その際に基準になるものが、この本の冒頭でお話しした「心・美・体」の調和です。

大相撲では「心・技・体」が重視されますが、アンチエイジングの世界ではなによりも、この三つの柱が指標になると考えています。

もう少し具体的にいえば、「心・美・体」は次のように表すことができます。

心……精神年齢
美……美容年齢
体……肉体年齢

この章でお話ししてきたのは、主に美容年齢と肉体年齢の違いについてです。

美容年齢は目で見て確認できる「若さ」のことであり、肌のハリやうるおい、豊かな表情、プロポーション、雰囲気などにも表れてきます。

女性の中には、こうした美容年齢を化粧品やサプリメント、健康食品などで手に入れようとしている人も多いでしょう。

しかし、いくらコラーゲンやヒアルロン酸を摂っても、体を内側から改善していかないかぎり、本当の若さは手に入りません。

本当の若さを手に入れるためには、これまでの食事と生活習慣を見直し、テロメアが短縮してしまうような生き方を変えていくべきなのです。

こうした美容年齢は、肉体年齢にもつながってくるものです。

この肉体年齢は、血管年齢、骨年齢、内臓年齢、筋肉年齢、関節の柔軟性などの総和として現れてくるものです。美容年齢のように目で確認できるとはかぎりませんが、アンチエイジングに取り組んでいくとハッキリ「体感」できるようになります。

繰り返しになりますが、必ずしも、健康診断の数値が目安になるわけではありません。

検査の数値や医師の言葉に左右されず、「自分自身が快適に過ごせているか」「不快症状がないか」と、自分の感覚につねに問いかけることが大切です。

皆さんには、そうした感性をぜひ磨いていってほしいのです。

「心のアンチエイジング」に必要なもの

では、最初に挙げた心＝精神年齢についてはどう考えればいいでしょうか？

精神年齢については、ある意味で美容や肉体の年齢以上に重要な領域です。いつも若々しく、元気に生きていくには、日常のストレスや健康不安などと向き合いながら、つねに「心のアンチエイジング」を実践していく必要があるでしょう。

私が考える心のアンチエイジングとは、少々大げさに聞こえるかもしれませんが、「死を覚悟して生きる」ことで初めて得られるものだということです。

生きているものはいつか必ず死ぬのです。のんびりしている人でも、「余命一年」だといわれれば、自分が生きている間に何をするべきか真剣に考えるでしょう。

その真剣さをつねに持つようにしたら、いやでも心に張りが出てきます。こうした心の張りが若さの源になり、行動力にもつながっていきます。

逆にいえば、いくら美容と健康に気をつけていても、心のアンチエイジングができていなければ、精神年齢までは若返らせることができません。「心・美・体」が調和しませんから、人間的な魅力もなかなか湧いてはこないでしょう。

よく生きるためによく死ぬことを考える。死を覚悟して、一日一日を感謝して生きる——逆説的ですが、これがあなたの心の若さを作ってくれるのです。

もちろん、こうした生き方を実践していくにはパートナーの存在もとても重要です。

第一章で紹介したアメリカ・ピッツバーグ大学のバーナード・コーエン教授の、生活習慣と寿命の関係について発表した論文を思い出してください。「独身男性は八年、独身女性は四年寿命が縮む」という、とても興味深いデータを挙げていたはずです。

テロメアの細胞時計は、基本的に生殖年齢の終了に合わせて止まるようにセットされているとお伝えしましたね。

女性の場合、閉経してからも母親としての役割が持続できれば、寿命を延長させていくことができます。仮に伴侶《はんりょ》を失ってしまっても元気でいることはできるでしょう。

これに対して男性は閉経がありませんから、生涯にわたって「男」であることを維持していく必要があります。生殖能力を失わないことが若さの源であるわけですから、イキイキと暮らすうえで、パートナーの存在がとても大切になってくるのです。

もっとも、ここで重要なのはセックスという行為ではなく、「愛情を注ぐ対象がどれだけあるか」ということだと考えてください。

子供が独立してしまったら、お孫さんが新たな愛情の対象になるわけです。子供や孫がいない人は、ペットを愛情の対象にするのでも構いません。あるいは、仕事上の信頼できるパートナーの存在も大きいでしょう。

こうしたパートナーシップをうまく築くことができないという人は、本書の内容を参考にしながら、まず美容年齢を高めることから始めてください。

心と体が元気であっても、見かけが悪ければ、相手には魅力が伝わりません。自分でもあまり自信が持てないでしょう。

正しいやり方で美容年齢を高めていけば、精神年齢も肉体年齢も、そして良好なパートナーシップも、あとから必ずついてくるはずです。

第六章　細胞から若返る食事術

アンチエイジングの第一歩とは

私たちがなぜ病気になるのか、ここまで生活習慣や免疫、環境適応、老化の問題などもからめながらお話ししてきました。

こうした病気に悩まされず、いつまでも健康で若々しくいられるにはどうしたらいいのか？　読者の皆さんの疑問にお答えするため、ここからはその具体的方法についてお話ししていきましょう。

まず大前提として理解したいのは、地球上のあらゆる生物の体は、口から肛門まで続く一本の管（＝消化管）からできているということ。

つまり、生きるためには、口から食事を摂って肛門から排泄しなければなりません。毎日のように管を通り過ぎる食事こそが、若さや健康を維持させるための最大の環境因子であることがわかるでしょう。

では、何を食べれば良く、何を食べれば悪いのでしょうか？

私たちのまわりには様々な健康情報があります。大事なのは、こうした情報の奥にある「メッセージ」を読み取るということです。

たとえば、メタボリックシンドロームについても、私たちがまずしなければならないのは診断基準の数値を暗記することではなく、「食べ過ぎと、脂・砂糖・塩の摂り過ぎが問題なのだ」と理解するようにお話ししました。

そのメッセージを読み取ることができれば、数値が基準値よりも高いからといっていたずらに慌《あわ》てたり、恐れたりすることはなくなります。

「男性と閉経後の女性はメタボになりやすい」ということも理解でき、自分の生き方を変えていくきっかけにすることもできるでしょう。

また、こうした体のメッセージを読み取ることに加えて、自然の摂理を知り、ほかの動物から学ぶという姿勢もとても大事です。

「自分も地球の生き物の一員なのだ」という視点を持つようにすることで、何を食べれば健康でいられるのか？　どんなふうに過ごせば若さが保てるのか？　こうした問いの答えがおのずと見えてきます。

自分一人では生きていけないことや、ほかの生物と共生することの大切さなど、よりよく生きるための様々な知恵も身についていくでしょう。

この章では、以上の点をふまえつつ、アンチエイジングを実現させる「細胞から若返る食事術」について詳しく探っていきたいと思います。

「完全栄養」を摂る簡単な方法

食事の目的は、いうまでもなく「栄養を摂ること」にあります。では、栄養を摂るためにはどんなものを食べればいいのでしょう？

おそらく皆さんの多くは、「栄養をつける」というと、ビフテキとかウナギを食べているシーンを思い浮かべるでしょう。

確かに戦前は栄養状態が悪かったので、栄養価が高いものを食べることが栄養補給につながりました。しかし、いまは飽食の時代。そんなカロリーの高いものを毎日食べていたら病気になるのは当たり前のことです。

現代において最も大切なのは、質でも量でもなく「バランス」なのです。

どんな大切な栄養素でも摂り過ぎれば毒になり、逆になにか一つの栄養素が欠けても、全体の歯車がうまく回らなくなってしまうからです。

何を食べればいいか？　——まずは、私たちの体に必要な栄養素が過不足なく含まれている「完全栄養」を摂ることを心がける。こういうと、とても難しいと感じられるかもしれませんが、そんなことはありません。

「人間の体と同じ組成の生き物を丸ごと食べる」

ただこの一点を心がけるだけで、十分に条件が満たせるからです。

実際、人間、豚、鳥、魚の胚《はい》から胎児までの「個体発生」の写真を比べてみると、ほとんど同じ姿をしていることがわかります。

第一章でもお話ししたように、この地球上の動物や植物はすべて、一個の受精卵が細胞分裂することで成長していきます。

細胞分裂の回数が違うだけで体の組成は一緒なのですから、どんな動物も植物もほぼ同じ栄養素を含んでいることがわかります。

ある動物だけは、人間が持っていない栄養素を持っている――そんなことは一切ありません。さかのぼっていけばご先祖様が一緒なのですから、それぞれの体を構成している栄養素も、その比率も、基本的に一緒であるはずなのです。

そう考えれば、「丸ごと食べる」ことが「完全栄養を摂る」ことであるとわかりますね。難しく考える必要はありません。「丸ごと食べる」ということさえ意識していれば、認識できていない微量栄養素も含めすべてが摂取できてしまうのです。

サプリメントで「完全栄養」は

足りない栄養素は「サプリメント」で補えばいいと思っている人もいるでしょうが、それはアメリカ的な誤った考えです。

体に悪い偏《かたよ》った栄養をさんざん摂っている人が、その免罪符としてサプリメントを飲んでいるのかもしれませんが、仮に一〇〇種類ものサプリメントを摂ったとしても、それですべて補い切れるわけではありません。

なぜなら、自然界にはサプリメントとして認識されていない未知の栄養素も数多く存在しているからです。

それよりも大事なのは、毎日の食事からバランス良く栄養を摂るということ。ただ、世に出回っている食事法は、現実みに欠けたものがほとんどです。

たとえば、栄養バランスを整えるために、厚生労働省は「一日三〇品目を食べる」という食事指導を行っていたことがあります。しかし、毎日三〇品目の食材をそろえるというのはとても大変なことです。一人暮らしのサラリーマンだったらほぼ無理でしょう。

あるいは、「五色のものを食べる」ことを提唱している人もいます。

「赤」は肉や魚、ニンジン、トマト。「黄色」は大豆製品、柑橘《かんきつ》類。「緑」は青菜の野菜。「白」はごはんやうどん。「黒」は海藻やキノコ。

――色と栄養素は多少の相関があるのかもしれませんが、こんなふうに五色の食品をいちいち覚えられるでしょうか？

オリンピック（五輪）の色と混同して、「青」はあったかな？ 青魚だっけ？ などと間違ってしまうかもしれません。豆腐は黄色なのか白なのか？ 私の好きなゴボウはどこに入るのか？ 細かく考えていくとかなり煩雑《はんざつ》です。

ほかにも、「まごはやさしい」という言葉をすすめている人もいます。「ま」は豆、「ご」はごま、「は」はわかめ、「や」は野菜、「さ」は？ ……魚、「し」は椎《しい》茸《たけ》、「い」はインゲン豆？ いやイモ。

こちらも一度に覚えるのは、やっぱり難しそうです。

それよりも「丸ごと食べる」、このほうがずっとシンプルで、覚えやすいと思いませんか？ 毎日の食事の中で意識しなければならないのは、たったこれだけ。これならば、誰もが実行できるのではないでしょうか？

丸ごと食べられる食材を

ただ、こうした「完全栄養＝丸ごと食べる」という前提に立つと、これまでの栄養学の常識を一から見直す必要が出てきます。

たとえば、肉類は一般的に栄養豊富といわれていますが、あまりおすすめできない食材であることが見えてきます。

なぜなら、牛や豚を丸ごと食べることはできません。肉が優れた栄養源であるといっても、体のほんの一部だけをカットして食べているわけですから偏った栄養しか得られないことになります。

これと同様に、マグロ一匹を食べることも無理でしょう。

皆さんは、ステーキ屋では牛のヒレやサーロインばかりを食べ、お寿司屋さんでマグロのトロや赤身ばかりを食べているかもしれませんが、私はこうした食事を「部分栄養」とか「不完全栄養」と呼んでいます。

そんな食事ばかりを摂っていたら栄養バランスが崩れてしまい、体調はどんどんおかしくなります。すぐにメタボの予備群になってしまうでしょう。

しかも先述の通り、牛や豚は「恒温動物」なので、そこに含まれる脂肪は室温で固まります。ということは、血液中でも固まりやすい。

魚は「変温動物」なので牛や豚のように脂は固まりませんが、マグロのような大型魚にはまた別な危険性があります。

海の中ではプランクトンが小さな魚に食べられ、それが中くらいの魚に、その中くらいの魚が大型の魚に食べられるという食物連鎖で成り立っています。

いま、世界的に海洋汚染が進んでいますから、小さな魚が摂取した水銀などの有害物質が濾過されないままより大きな魚に受け継がれ、どんどん濃縮されていきます。これを「生物濃縮」といいます。つまり、大型魚に最も水銀が濃縮されていることになるのです。

実際、「妊婦はマグロを週一回以上摂取しないように」と厚生労働省からも通達が出ています。おなかの赤ちゃんの健康を考えてのことですが、トロや赤身からは完全栄養が摂れないわけですから、一般の人も控えたほうがいいでしょう。

その点、イワシやアジ、サンマなどの小型の青魚は水銀の害も少なく、脂（不飽和脂肪酸）は血管内で固まることがないので、理想的といえます。

もちろん、その際の目安となるのは「丸ごと食べる」ということ――。

江戸時代の天ぷら屋さんは、こうした自然界の法則を経験的に知っていたため、「手一束《ていっそく》」の魚しか使わなかったといわれています。

一束というのは、手を握ったときの指四本分の幅のことをいいます。ですから、メゴチやハゼのような手のひらの中に入る小魚だけを対象にしていたのです。

魚介類全体でいえば、イカとかエビもこれに当てはまるでしょう。たとえば、エビの天ぷらを揚げたら、身だけではなく頭も尻尾《しっぽ》も全部食べるわけです。

小魚の場合も、頭から内臓、骨までいただく――こうした食べ方をすれば、魚も立派な完全栄養になることがわかるでしょう。

白米のごはんにはぬか漬けを

こうした「丸ごと食べる」という食事法は、もちろん、穀物や野菜についても当てはまります。まずは、日本人の主食である米のことをお話ししましょう。

元禄《げんろく》時代以降、精米技術が発達することで、都市部を中心に白米が食べられるようになりましたが、精米によってビタミン、ミネラルが豊富な胚芽《はいが》やぬかが削り取られた結果、「脚気《かっけ》」が国民病と呼ばれるまでに蔓延《まんえん》してしまいました。

当時は原因がまったくわかりませんでしたが、脚気とはビタミンB_1不足によって発症し、全身の倦怠《けんたい》感や手足のしびれ、激しいむくみなどに襲われる病気です。

症状がひどくなると歩行も困難になり、心臓の筋肉が動かなくなることで生命を落としてしまうため、「脚気衝心」とも呼ばれています（「衝心」とは、心臓の機能低下・不全の状態を指します）。

NHKの大河ドラマで高視聴率を記録した『篤姫《あつひめ》』のご主人は、一三代将軍・徳川家定《いえさだ》公ですが、体が弱いことで知られていました。

テレビのシーンの中で、立ち上がるときふらついているので、「この人は脚気だ。脚気衝心で死ぬよ」と思っていたら、案の定、三四歳で亡くなってしまいました。

次の一四代将軍・家茂《いえもち》公はなかなかの色男でしたが、やはり脚気にかかり、二〇歳の若さで亡くなっています。

このように高貴な身分の人たちが若死にしたのは、赤ん坊の頃に乳母《うば》のお乳で育てられ、長じては白米を食べていたからです。

出産直後の母乳は「初乳」と呼ばれて「免疫抗体」がたくさん含まれるので、初乳を飲んだ赤ちゃんは感染症に対する抵抗力がつきますが、出産からだいぶたった乳母のお乳には抗体が含まれていません。

そのため、当時の将軍家は後継ぎが乳幼児で亡くなるケースが多く、また、こうした早世《そうせい》を乗り切っても、白米を常食しているため脚気にかかり、若くして亡くなるということが珍しくなかったのです。

その後、明治時代になると、軍備を増強するために、「軍隊に入れば三食銀シャリが食える」といって、農村の次男、三男坊を徴兵するようになりました。

当時の農村では米は大切な収入源で、自分たちはヒエやアワといった雑穀を食べていたので、脚気にはまったくかかりませんでした。皮肉なことに、「銀シャリ」につられて軍隊に入った若者だけが脚気になっていったのです。

そのため、日清・日露の両戦争では敵の弾に当たって死んだ兵よりも、脚気で死んだ兵のほうが多かったといわれているほどです。

こうして見れば、完全栄養が体にとっていかに重要かがわかるでしょう。

なお、脚気に苦しんでいた江戸の町民の間では、生活の知恵の一つとしてぬか漬けを食べる習慣が生まれました。精米したときに出るぬかを同時に摂ることによって、栄養不足を補ったのです。

ですから、白米がやめられない人はぬか漬けを一緒に食べてください。

また、ごはんの代わりにパンを食べるときも、精製した白いパンではなく、全粒粉で作った茶色いパンを選ぶようにしてください。

野菜や果物は皮ごと食べる

米ばかりでなく、野菜ももちろん丸ごと食べます。葉ごと、皮ごと、根っこごとです。

たとえば、野菜は根と葉の部分に大きく分けることができますが、このうち根にはでんぷんや糖がたくさん蓄えられています。

これに対して、葉は太陽の光を浴びて光合成をする場所ですから、ビタミンやミネラルがたっぷりと含まれます。

それぞれの部位に違った栄養素が含まれている以上、丸ごといただくようにしないと完全栄養にならないことはわかるはずです。

中でも注目しなければならないのは、皮の部分でしょう。

人間の皮膚と同様、野菜や果物の皮は、外界からの異物を遮断するバリアであるため、次のような優れた効果が期待できます。

防菌・防虫効果……表面に細菌やカビがついても中まで腐ることはありません。皮に含まれるポリフェノールには細菌や虫をはねのける効果があります。

創傷治癒効果……表面を鳥につつかれても、何日かすると再び皮が張っているように、皮の部分には傷を修復する創傷治癒効果があります。

抗酸化作用……リンゴの皮を剝《む》くと空気に触れて酸化し、数分で茶色く変色します。つまり、皮には酸化を防ぐ抗酸化作用があるのです。

また、症状別で見た場合、次のような改善効果も得られやすいでしょう。

ニキビ・吹き出物……皮膚の皮脂腺に細菌が繁殖することで生じるため、皮ごと食べれば防菌効果で治ります。

風邪・インフルエンザ……皮に含まれる防菌効果でウイルス感染が予防できます。

肌荒れ……皮の創傷治癒効果できれいに治ります。

胃腸トラブル・喉の荒れ……同じく皮の創傷治癒効果により、消化管や喉の炎症を防ぐことができます。

シミ・シワ……紫外線による皮膚の酸化も皮の抗酸化作用で治ります。

——どうでしょうか？　こんなに大事な皮を剝いて食べるというのはあまりにももったいないと思いませんか？

こうした例からもわかるように、野菜や果物は皮ごとすべていただいてこそ、アンチエイジングが可能になるのです。

ミカンの皮は漢方薬に

驚く人もいるかもしれませんが、私はリンゴの皮はもちろん、ミカンの皮も剝かずにいただいています。

「ミカンの皮なんて食べられるの」といつも聞かれるのですが、キンカンやユズも皮を食べていますよね？　マーマレードも皮ごとです。

風邪をひくとカリンの皮の砂糖漬けをお茶にして飲むことがあると思いますが、これは防菌・防虫効果、創傷治癒効果が期待できるからです。

実際、中国ではミカンの皮のことを「陳皮《ちんぴ》」と呼んで漢方薬として用いてきました。いまも漢方薬の七割ほどにこの陳皮が入っているといわれています。昔の人はこうした皮の薬効を経験的に知っていたのです。

これと同様、モモの皮についても剝かずに食べるようにするといいでしょう。「皮の表面の産毛が気になる」とよくいわれますが、スモモならば皮ごと食べているはずです。流水で洗ったあとに布巾《ふきん》でキュッキュッと拭《ふ》くようにすれば、すぐにツルツルになります。カキも皮ごと食べましょう。

なお、読者の皆さんの中には、「皮ごと食べていたら農薬も一緒に摂ってしまうことになるのでは?」と疑問を持った人もいるかもしれません。

しかし、あまり心配はしないでください。先ほど皮のバリア効果についてお話ししたと思いますが、野菜や果物の皮は、実を異物からしっかり守ってくれています。そのため、皮についた農薬を中まで浸透させてしまうことはないのです。

農薬は水に溶けやすいので、食べる前に水でよく洗うようにすれば、ほとんど取れてしまいます。洗い終わったあとに布巾やキッチンペーパーで拭けば十分。

ただ、外国から輸入した野菜や果物に関しては、防虫のためかなり念入りに農薬を噴霧し、中には燻煙《くんえん》（農薬でいぶす）を行っているところもありますので、外国産のグレープフルーツ、オレンジ、キウイ、マンゴー、バナナなどについては、皮ごと食べるのを避けるようにしてください。

ここで、「完全栄養を摂る」ということについて整理しておきましょう。

1　魚は骨ごと、腹ごと、頭ごと
2　穀物は全粒で
3　野菜は葉ごと、皮ごと、根っこごと

覚えられない人は、「丸ごと全部食べる」ということだけで構いません。この点を意識するだけでも食事の内容はかなり変わっていくでしょう。

野菜と果物の決定的な違い

完全栄養の次に理解してほしいのは、「野菜と果物の違い」です。
八百屋で売っているのが野菜で、果物屋で売っているのが果物——そんな単純なことではありません。

野菜は「食べられたくない」、果物は「食べられたい」――じつはこれが野菜と果物の決定的な違いなのです。

まず、果物がなぜ「食べられたい」と思っているのか、考えていきましょう。

果物はだんだん熟してくると、実が赤くなり、いい香りがするようになります。また、糖度が増して甘くなってくるでしょう。

まるで「私を見つけて食べて」といっているように思いませんか?

実際、サルがやってきて果物をもいで食べますが、咀嚼《そしゃく》できるのは甘い実の部分だけ。種は固いので、そのまま飲み込んでしまいます。

このサルが一山越えて隣の土地で排泄すると、糞《ふん》と一緒に種を落とすことになるでしょう。サルが種を運ぶことで果物は新しい土地でまた発芽し、生長することになる。つまり、繁殖地が広がることになるのです。

特に大事なのは、「旬《しゅん》の時期に食べる」ということです。

まだ種ができ上がっていないときに食べられると、その種は滅んでしまいます。そのため、種ができ上がっていない果物は食べられないように毒を持っているのです。

たとえば、カキの実を割ると黒い斑点がありますが、あれはタンニンという渋み成分です。種ができていないとき、タンニンの量が多いことで知られますが、これは「まだ私を食べないでください」といっているのです。

これに対して、種ができ上がるとエチレンガスが発生してタンニンが固められてしまうため、渋みが感じられなくなります。

また、同時に皮が真っ赤に変色し、いいにおいを発生させます。「さあ食べ頃になりましたよ」といっていることがわかるでしょう。

野菜を生で食べてはいけない理由

一方、「食べられたくない」と思っている野菜は、毒を持っています。

まず、薬物の野菜は保護色をしていて「アク」がありますね? これは「蓚酸《しゅうさん》」と呼ばれますが、特有のえぐみや苦《にが》みで身を守っているのです。

昔から「生野菜は体を冷やす」といいますが、実際にテレビ番組で生野菜を食べさせて体温を測ったところ、体温は下がっていませんでした。

本当は、「生野菜を食べると蓚酸でおなかをこわす」が正しいのです。

昔の人は「おなかをこわしたのは、おなかが冷えたからだ」と考えて、「生野菜は体を冷やす」というようになったのでしょう。

昔のホウレンソウは自分の身を守るために葉の先が尖《とが》っていて、葉の表には産毛が生えていました。また、アクが強いので、生で食べると苦みがあって、歯の裏側がざらざらしたものです。このざらざらは、ホウレンソウの蓚酸と唾液の中のカルシウムが反応して「蓚酸カルシウム」という結晶を作るからです。

昔の日本人が青野菜を必ずおひたしにして食べたのもそのためです。

皆さんは、ホウレンソウをくたくたに煮たものに醤油と鰹節《かつおぶし》をかけたものがおひたしだと思っているでしょうが、本当の作り方はそうではありません。

まず、沸騰したお湯に塩を一つまみ入れ、ホウレンソウをサッとくぐらせたらすぐに引き上げて、冷水にさらします。蓚酸は熱に溶けやすく、さらに塩の浸透圧で溶け出すため、これだけでも十分に取り除けます。

引き上げたあとに水ですぐ冷やすのは、ビタミンを分解させないため。

水気をギュッと絞ると緑色のぬるぬるした汁が出てきます。栄養だと思ってもったいないという人がいますが、これもアク（蓚酸）です。

こうして絞った野菜を白ダシの中に入れると、スポンジが水を吸うように葉の中にダシが入っていきます。

こうやって野菜をひたしていただくから「おひたし」というのです。

昔はキュウリもとげが多くてアクが強かったので、両端を落として粗塩《あらじお》をすり込んだものです。その際に、キュウリからぬめぬめした糸を引くような粘液が出てきますが、じつはこれも蓚酸なのです。

「食べられたくない」と思っている野菜の場合、一手間をかけて毒素をきちんと出してしまうことで、栄養素を効率よく摂取できることがわかるでしょう。

日本の農地を枯らした真犯人

現代では、昔ほどアクの強くない野菜も多く出回っています。

若い女性のサラダ志向を反映して、サラダホウレンソウのように、湯がかなくても生のまま食べられるものも多いでしょう。

こうした野菜は、蓚酸が少なくなるように品種改良されています。

しかし、蓚酸が少ないということは、虫がつきやすいため、農薬をたくさん使わなくてはなりません。それを皆さんはサラダにして食べているわけです。果たしてこれが「体にいい」といえるでしょうか？

そもそも、昔の日本人は葉物野菜を生で食べるということはしませんでした。この食習慣がこわれてしまったのは、先の太平洋戦争に負けてからです。

終戦直後、GHQの最高司令官だったダグラス・マッカーサーが肉食の付け合わせのサラダを希望しましたが、日本の野菜はどれもアクが強く、とても生では食べられません。そこで外来種のレタスが新たに作られるようになったとされています。

このレタスを栽培する際、それまで用いられてきた下肥《しもごえ》（人糞《じんぷん》）は不潔だからという理由で禁止され、代わりに化学肥料が使われるようになりました。また、虫がつかないように農薬も撒《ま》かれるようになりました。

こうした近代農法が徐々に日本中に広まっていった結果、日本の農地はどうなってしまったのか？

それまでは私たちの排泄物が土壌の微生物によって分解され、その微生物をミミズが食べ、ミミズをモグラが食べ……こうした生命の循環が土の中で行われてきました。そうやって土を自然と肥やしていたのです。

つまり、昔の土は生きていたわけですが、農薬を撒くことで微生物も小動物も住みにくくなり、土壌はどんどんと枯れていきました。その結果、ますます化学肥料が必要になるという悪循環に陥ったのです。

よく若い女性が「スーパーでサラダを買ったら青虫がついていた」と苦情をいうことがありますが、こうした苦情があると、農薬の量はますます増えます。

虫が見つかったら、「これは農薬を使っていない野菜なんだな」と思って、喜んで食べるようにしてください。実際、そうした野菜のほうが体にはいいのですから。

根菜の栄養を上手に引き出す調理法

葉物野菜のアクについて考えてきましたが、では、根菜はどうでしょうか？

先ほどもお話ししたように、野菜の根の部分には栄養がたっぷりと詰まっています。その中心となるのは「でんぷん」ですが、そのまま食べても消化することはできません。

では、どうしたら根の部分の栄養を効果的に摂取できるでしょうか？

植物は、冬になって葉が枯れてくると、「ジアスターゼ」という酵素によってでんぷんを少しずつ分解し、「糖」として利用します。つまり、冬場の野菜が甘くておいしいのは、このジアスターゼのおかげであるわけです。

こうした点をふまえておすすめしたいのが、「水炊き」という調理法です。

ジアスターゼという酵素は温度が高くなると働かなくなってしまうため、根菜を水からとろとろとゆっくり炊く――これが「水炊き」です。

この調理法によってでんぷんが糖に変わり、甘みが引き出されます。

一般的には、熱が通り、味が染みるように皮を剥きますが、皮の中には「防菌効果」「創傷治癒効果」「抗酸化作用」のあるポリフェノールが含まれています。剝いた皮は捨てずにきんぴらにして食べるといいでしょう。

また、ダイコンのジアスターゼには胃腸の消化を助ける働きもあります。

お正月にダイコンおろしでお餅を食べると、おなかにもたれず、たくさん食べられるのは、お餅のでんぷんをジアスターゼが分解しているからです。

おろし蕎麦も同様です。ダイコンおろしを加えることで蕎麦の消化が進むため、食欲がないときでもおいしくいただけるでしょう。

なお、こうした根菜を入手する際は、必ず葉のついたものを選ぶようにすること。

ダイコンの葉は、一晩かけて陰干《かげぼ》しして、黄色くなった部分だけ落とせば、「干葉《ひば》」といって冬の間の保存食として使えます。

小さく刻んで味噌汁の具にしたり、油で炒めてしらすと一緒に食べたりするなど、利用法はたくさんあります。

ニンジンの葉はアクがとても強いことで知られますが、天ぷらにしていただくとアクが油に包まれて、胃のダメージを少なくしてくれます。

完全栄養の話を思い出しながら、根菜も上手に使うようにしましょう。

豆をしっかり煮る理由

葉物、根菜の次は、豆類の賢い摂り方についてお話ししたいと思います。

じつは豆の中にも毒があるのをご存じでしょうか?「レクチン」と呼ばれ、体内に取り込まれると、消化吸収障害による下痢《げり》や嘔吐《おうと》を引き起こします。多量に摂取すると血液が固まって命にもかかわる危険な成分です。

こうしたレクチンの害をなくすには、しっかりと調理することが一番です。

たとえば小豆《あずき》の場合、豆を水に一晩ひたしたあとにその水をすべて捨て、水から煮て、三~四回ほどしっかり茹でこぼす必要があります。

子供の頃、「そんなに水を替えたら赤飯に色がつかなくなる」と心配しましたが、じつはレクチンを取り除く行為だったのです。

数年前、あるテレビ番組で「白インゲンを煎って食べるとダイエットできる」と紹介し、多数の人が食中毒になったことを覚えているでしょうか?

きちんと処理をせず、豆を生同然の状態で食べれば、レクチンの毒が作用して確かにやせることもあるでしょう。

しかし、それは毒を食べておなかをこわしただけの話。えらいことになるぞと思って観ていたら……。ニュースで報道されていたように、たくさんの人が病院に担ぎ込まれてしまいました。

それにしても、豆にこのような強い毒性が含まれているのはなぜなのでしょうか？

ここまでお読みの方ならばお気づきかもしれませんが、豆＝植物の種が動物に簡単に食べられてしまっては、種属が存続できません。毒を保持することによって、種という生命のもとを守ろうとしているのです。

ですから、ウメの実を生で食べても食中毒になりませんが、種を割って白い部分を生のまま食べると頭痛や腹痛、嘔吐などの中毒症状が引き起こされます。

このウメの種の中身は俗に「天神様」と呼ばれていますが、じつはこれは「シアン」という猛毒なのです。梅干しの種は水につかることでこの毒がかなり薄まっていますが、あまり食べ過ぎないほうがいいでしょう。

あるいは、種ではありませんがタケノコもそのまま食べるとかなりアクがあります。なぜなら、タケノコの生長をうながす「チロシン」という栄養素は空気に触れると、ホモゲンチジン酸という強烈な苦み成分に変わるからです。

タケノコは掘りたての状態ですぐカットすれば刺身にして食べられますが、通常は掘ってから何日もたってから店頭に並びますね？　この間にチロシンがホモゲンチジン酸に変化してしまっていますから、灰や米のとぎ汁によるアルカリで中和させる必要が出てくるのです。

卵に含まれている「毒」の正体

よく「痛風はぜいたく病だ」「ぜいたくなものばかり食べたから痛風になったんだ」という人がいますが、これは間違いです。

なぜならブランデーを飲んでも平気なのに、ビールを飲むと痛風になります。あるいは、ステーキは平気なのに、安いレバーだと痛風になる。

つまり、食べ物の内容が痛風と関係しているのです——いったいどんなものを食べると痛風になるのでしょう?

痛風の原因は「プリン体」という物質で、細胞の遺伝子を作る働きが知られています。このプリン体が代謝されると結晶化して尿酸になりますが、これが足の関節の軟骨を刺激すると、ものすごい激痛に見舞われます。これが「痛風」です。

要するに、痛風を防ぐためにはプリン体が含まれる食べ物を摂らないようにする必要があるわけですが、プリン体が含まれている遺伝子はすべての細胞にありますから、動物にも植物にも含まれます。

この中で実際に痛風を引き起こすのは、「細胞分裂の盛んなもの」「細胞数の多いもの」だと考えてください。

具体的には、「動物の卵」と「植物の種や芽」が該当します。

もちろん、同じ卵の中でもニワトリの卵ならば、あんなに大きいのに細胞はたった一個なのでさほど問題にはなりません。

しかし、イクラになれば卵の数が一気に多くなり、プリン体の量はその一〇〇倍になります。これがさらにカズノコになれば一〇〇〇倍、タラコになれば一万倍といったところでしょうか？

つまり、卵の数が多くなればなるほどプリン体の数が増え、それとともに痛風になる可能性が増えてくるのです。

ほかにも、プリン体は主に肝臓で代謝されるため、レバーなどにも多く含まれます。

また、ビールにプリン体が多いのは、原料の「麦芽（モルト）」が植物の「芽」に当たるからです。ビールの飲み過ぎは問題ありですが、麦芽が含まれない発泡酒やワインなら大丈夫です。ブランデーは原料がブドウなので安全ですが、ウイスキーは麦芽が入っているので危険ということになります。

では、なぜプリン体が痛風を起こすようになったのでしょう？　それはプリン体の含まれる「動物の卵」と「植物の種や芽」が生命のもとであるからです。

たとえば、動き回っている動物を捕まえるよりも、動かない卵を見つけて食べたほうがずっとラクですよね？

でも、それを許していたら生物種はどんどん滅びていってしまいます。そこで、「卵をたくさん食べ過ぎたら病気になる」ようにプリン体という毒が仕込まれたのです。

その意味では、植物が種や芽に毒を仕込んだのと同じ仕組みだといえるでしょう。

プリン体が含まれるものを摂るということは、生命のもとになるものをいただくということですから、よく感謝して、あまり食べ過ぎないようにしてください。

昔はタラの芽を採りに出かけても全部摘んだりせず、自分たちの食べる分以外は木のために残しておくというマナーがありました。

それがいつの間にか節度がなくなり、あと先のことを考えずすべて摘んでしまうようになった。いや、タラの芽にかぎらず、現代人は欲望に任せてなんでもかんでも食べてしまうようになりました。

しかし、それは明らかに生命をおろそかにする行為でしょう。

「そんなことばかりしていたら病気になりますよ。長生きできませんよ」と食べ物を通して、自然がそう警告しているのです。

「腹六分目」が健康長寿の秘訣

さて、「何を食べればいいか」ということについてざっとお話ししてきましたが、次に疑問となるのは「どれくらいの量を食べればいいのか」という点です。

食事の量が寿命にどう影響するのか調べた実験がありますが、それによるとあらゆる動物で食事の量を増やしたり減らしたりしてみたところ、四〇パーセント減らしたときが一番長生きで、平均一・五倍寿命が延びることがわかりました。

もちろんこれは、人間にも当てはまります。

なにしろ、現代は飽食の時代です。食べ過ぎると「倹約遺伝子」が働き、飢餓に備えて脂肪をためます。たまった内臓脂肪が燃焼するとき血管の内皮細胞を傷つけ、メタボリックシンドロームの諸症状を引き起こすのです。

言い換えれば、食べる量を減らしていくだけでもメタボのリスクは減り、テロメアの消耗を防ぐことができる、つまりはアンチエイジングをうながすことができるのです。

逆に、飢餓状態になると「延命遺伝子」が発現します。

人類の歴史が飢餓の歴史であったということは、すでにお話ししました。人が断続的な飢餓の状態に置かれると、なんとか生き延びようとするためこの延命遺伝子が働きます。その結果、傷ついたＤＮＡを修復し、寿命を延ばしてくれるのです。

昔から宗教では様々な形で断食が行われ、意図的に飢餓状態になることがすすめられてきましたが、これは断食が不老長寿につながると経験的にわかっていたからでしょう。

一般的には「腹八分目」といわれていますが、先ほどもお話ししたように、延命遺伝子を働かせるためにはそれでも多過ぎです。

できれば「腹六分目」を目指してください。

食べ過ぎを極力減らしていくことであなたの延命遺伝子にスイッチが入り、細胞から若返っていくことができるのです。

「一汁一菜ダイエット」のすすめ

とはいえ、「腹六分目なんて難しい」と感じた人もいるでしょう。そうした人に私がおすすめしているのが、「一汁一菜ダイエット」です。

こちらはそれほど難しくはありません。まず始めてほしいのは、「毎日使っている食器を子供用のサイズに替える」ということです。

子供用の「アンパンマン」の絵などが描かれているお碗がありますね。このサイズのごはん茶碗と味噌汁のお椀を用意してください。

そして、おかずを盛りつける皿は、コーヒーカップを載せるソーサーくらいの大きさのものにします。

つまり、ごはんと味噌汁、そしておかず一品で「一汁一菜」。

この組み合わせで食器の大きささえ子供用サイズであれば、肉でも揚げ物でもなにを食べても構いません。混ぜごはんでもいいですし、味噌汁は具をたっぷり入れてもいいでしょう。

ただし、おかわりと間食はしないこと。これだけは必ず守るようにする。

こうした食事を実践すると、一回に食べる量がだいたい四割くらいは減ることになり、結果として「腹六分目」になるのです。

食べる量は確かに減りますが、一汁一菜にすることで栄養バランスは良くなり、食べたいものを食べることによってストレスも少なくてすみます。

できればこの「一汁一菜ダイエット」を毎日続けながら、毎朝自分の体重を記録するようにしてください。方眼紙でグラフを作って記入していくといいと思いますが、一日三食を一汁一菜にしていくと体重が一定の傾きで減少していきます。

途中で体重が減らない停滞期に入ることもありますが、ある程度続けたあとに線を結んでみると一定の傾きで減っていることが確認できるでしょう。

体重がどんどん減っていくので驚く人もいるかもしれませんが、いわゆる「標準体重」（57ページ図表5参照）にさしかかるとそれ以上は減らなくなります。

そこまで体重が落ちたら、あとは記録をつけなくても構いません。

ただし、もとの食べ方に戻してしまうとまた太り始めますから、一汁一菜は続けるようにしてください。

「ずっと続けるなんて大変だ」と思われるかもしれませんが、この過程で体調も改善され、胃も小さくなっているので、腹六分目でも十分に満足できる体質になっています。特に不満を感じることはなくなるはずです。

「飢餓」体験で寿命が延びる

ちなみに私の場合、仕事が忙しいこともあり、なかなか一汁一菜を食べる時間もありません。朝はクリニックに向かう時間が早く、昼は食べると眠くなってしまうため、しっかり食事を摂るのは夕食だけ、つまり「一日一食」が基本パターンです。

「一日一食だけではおなかが空いてしまいませんか？」と質問をされることがありますが、もちろんおなかは空きます。

夕方に近づく頃になると、グーグーと鳴るようになります。でも、これがいいのです。

先ほどもお話ししましたが、飢餓になることで延命遺伝子が働いてくれることになるわけですから。おなかがグーグー鳴れば鳴るほど若返りが進むのです。

クリニックのデスクなどにクッキーなどを少し置いておき、少し口がさみしいなと思ったらかじることもありますが、眠くなるような量は摂りません。

そもそも男性の場合、三〇歳を過ぎればみんなメタボなのです。程度の差はありますが、おなかのまわりに内臓脂肪が蓄えられているわけですから、無理に食べなくてもこれを効率よく燃焼させればいいのです。

クマはおなかに内臓脂肪を蓄えておくことで、二ヵ月間なにも食べなくても飢餓状態になりません。だから、安心して冬眠をすることができます。

私たち人間も進化の過程で内臓脂肪を獲得したのですから、これが昼間に燃焼するだけでも体の中に十分な栄養が行き渡ります。

もちろん、内臓脂肪があまりない人は、一日一食はしないほうがいいでしょう。具体的にいえば、育ち盛りの子供や閉経前の女性、お年寄りや病人などが当てはまります。こうした人は一日三食、規則正しく食べるようにしてください。

肉や卵、牛乳などの動物性たんぱく質もしっかりと摂取するべきです。

これらの食品にはコレステロールが多く含まれますが、育ち盛りの子供ややせている人にはコレステロールは悪いものではありません。

細胞膜を作ってくれる大事な成分なのですから、たくさんの栄養を必要とする人はむしろ多めに摂ったほうがいいのです。

毎日「こぶし五つ」の野菜を

逆にいえば、男性や閉経後の女性でメタボが気になる人は、一日一食でも大丈夫だということです。それで十分に健康を維持することができます。

私の場合はベジタリアンですから、夕食をいただく際もやはり野菜が中心になります。だいたい「こぶし五つくらい」（約三〇〇グラム）の量を目安にしていますが、野菜はおひたしにすると、見た目はかなり減ってしまいます。このこぶし五つの野菜に玄米ごはんと味噌汁を食べれば、これで十分におなかがいっぱいになります。

それでいて低カロリーで、高血糖になることもありません。

「糖分は脳のエネルギー源なのでしっかり摂る必要がある」という人がいますが、脂肪もたんぱく質も体内では糖となって脳に運ばれていきますから、わざわざ糖ばかりを食べる必要はないのです。

しかも、そうした栄養はすでに内臓脂肪として蓄積されているわけですから、昼に使って夜に食事で蓄積する――この繰り返しで十分元気に生きていけます。これがアンチエイジングの秘訣なのです。

この章で紹介した完全栄養を摂ることを心がけたうえで、肉食を減らし、まずは「一汁一菜ダイエット」にトライする。そして、体質的に無理がない人は「一日一食」の生活に切り替えていく。

これが、二〇歳の若返りに成功した私がおすすめする食事法の基本になります。

「いくら体にいいことでも、おいしいものをガマンすることはとてもできない」

こう感じた人もいるかもしれませんが、おなかが空いていなければ食事はおいしく感じられません。まずは、「おなかがグーグーと鳴ってから食べる」ということを毎日心がけてみてください。

「ああ、延命遺伝子が働いている」「若返りが進んでいる」――そう思うと、なんだかワクワクしてきませんか？　おなかが空くことがもっとポジティブにとらえられるようになれば、食事の量や回数も変わっていくはずです。

寿命が一四年延びる四つの習慣

ここで、アルコールの摂り方のポイントについてもお話ししておきましょう。

「酒は百薬の長」といわれる一方で、「酒は生命を削るカンナだ」ともいわれています。いったいどちらが正しいのでしょうか。

まず認識してほしいのは、お酒は水銀やタバコと同じように「蓄積毒」であるということです。

体内に蓄積されるほどに毒性が高まっていきますから、許容量を超えてしまえば「生命を削るカンナ」になってしまうのは当然のことです。

では、どのくらいが許容量なのでしょうか？　じつは一生の間で飲めるお酒の量は決まっていて、男性は五〇〇キロ、女性は二五〇キロくらいとされています。

日本酒四合瓶が七二〇ミリリットル。アルコール度数が一四パーセントとすると、アルコールの量は約一〇〇グラムになりますね。

ワインの場合、一本が七五〇ミリリットル。こちらもアルコール度数一三パーセントで計算すると、アルコールの量はやはり一〇〇グラム程度。

つまり、アルコール一〇〇グラムを毎日飲めば、一年で三六・五キロ。男性の場合、わずか一三・七年で生涯飲酒量に到達してしまうことになります。

女性の場合、さらに短く六・八年程度です。女性は妊娠したときに胎児に悪影響が出ては困りますから、アルコールに対する耐性が低い、つまり毒に対して体がとても敏感なようにできているのです。

「休肝日を作っているから大丈夫」という人が多いのですが、問題となるのは総量ですから、休肝日を取っても、その翌日に倍を飲めば同じことです。総量を超えていくほどに肝臓で処理できなくなり、肝炎から肝硬変、肝臓ガンへと、発症リスクが高まっていくことになります。

では、こうした点をふまえ、お酒はどれくらい飲むのが適当といえるのか？

イギリスのケンブリッジ大学の研究チームが二〇〇八年に男女二万人（四五〜七九歳）を対象に健康調査を行ったところ、次の四つの習慣を持っている人は、そうした習慣がない人に比べて、死亡率が四分の一に、寿命が一四年も長くなるという結果が得られました。

1　毎日三〇分程度の適度な運動をする
2　野菜と果物をこぶし五つ分（約三〇〇グラム）摂る
3　飲酒を適度に抑える
4　喫煙をしない

1の「適度な運動」については次章でお話ししますが、基本は「よく歩くこと」です。

2の「野菜と果物」に関しても、生のままではなかなか大変だと思いますが、おひたしにしていただけばラクにクリアできます。

4の喫煙の問題についても、これまで繰り返しお伝えしてきましたね。タバコがやめられないという人も、この際スッパリと禁煙することにしましょう。

グラス二杯のワインが健康の目安

さて、問題となるのは3の「適度な飲酒」についてです。

この調査を行ったケンブリッジ大学の研究チームによると、「ワインならば一週間に一四杯までが限度」であるといいます。一日に換算した場合、グラス二杯程度になります。ワインボトルでいえば、四分の一くらいになるでしょうか？

ここでお酒の瓶を思い浮かべてください。日本酒もワインもビールも、どれも人の形をしていますね。医療現場で使う注射薬の容器（アンプル）もそうですが、こうした人の形をしたものには、人間の極量（最大限の用量）の倍、薬品が入っています。

薬の場合でいえば、通常はアンプルの半分を投与すればいいわけですが、緊急の場合はその倍量を投与してもいいようにできているのです。

ワインの場合に置き換えると、毎日ボトル一本飲み続けると一三年あまりで限界に達してしまいます。これは明らかに飲みすぎです。

これに対して、グラス二杯程度（ボトル四分の一）ならば極量の半分から四分の一ということになります。二〇歳から飲み始めたとして、このペースで飲み続ければ約五〇年。男性の平均年齢に近いくらいまではお酒を楽しむことができます。

日本酒の場合は一合でアルコール二五グラム。ビールはアルコール度数が五パーセント程度ですから、中瓶一本（五〇〇ミリリットル）がアルコール二五グラムでちょうどいいでしょう。

日本人はアルコールの毒素を分解する酵素を持っていない人も多いですから、飲酒そのものを控えたほうがいい人もいますが、ある程度たしなめるという人は、ここに挙げたくらいの量を目安に、ほどほどに楽しむといいでしょう。

なお私の場合は、お酒を飲むことがあっても、「芋焼酎のゴボウ茶割り」をグラスで一〜二杯程度です。若い頃はお酒が強いことが自慢でワイン一本くらいは平気で空けていましたが、いまはこのくらいの量で楽しく酔えることを自慢しています。

ゴボウのアクに若返りの秘密が

この章の最後に、南雲流のアンチエイジングの強い味方である「ゴボウ茶」についてもご紹介したいと思います。

私がゴボウ茶を飲むようになったのは、アンチエイジングに取り組み始めた四〇歳代半ばのこと。

私の野菜の師匠で、筑波《つくば》のゴボウ農家の山﨑恵造《やまざきけいぞう》さんに教えていただいたのですが、試しに飲み始めてみるとにかく体調がいい。鏡で自分の顔をのぞいてみると肌つやもずいぶんよくなっていて、イキイキした感じがします。

「これはなにかすごい秘密が隠されているのかもしれない!」

そう直感して、ゴボウに含まれる成分について調べてみたところ、自分が予想していた以上の多岐にわたる薬効があることがわかってきたのです。

まず注目してほしいのは、ゴボウの皮の部分です。

「皮は捨ててはいけない」ということはすでに強調してきたことですが、ゴボウの場合も水にさらすと真っ黒な色が出るでしょう。

アクだと思って洗い流してしまう人が多いと思いますが、じつはこれは「サポニン」というポリフェノールの一種なのです。

漢方の万能薬として「朝鮮人参」の名前がよく知られていますが、この朝鮮人参の主成分である「ジンセノイド」もサポニンの一種です。朝鮮人参は、「父親の病気を治すために娘が身売りした」という逸話が残されているくらい高価な生薬《しょうやく》です。

スーパーで簡単に買えるゴボウにも、それと変わらないくらいの薬効があるのです。

具体的にいえば、ゴボウは土の中という過酷な環境で育ちます。リンゴやバナナなら土地に埋めたら腐りますよね？　これに対し、ゴボウは腐りません。なぜならサポニンに強力な防菌効果があるからです。

では、サポニンはどうやって細菌をやっつけるのか？　じつはサポニンの「サポ」は「シャボン」が語源です。脂肪を吸着する界面活性作用によって、細菌やカビの細胞膜を構成しているコレステロールを分解するのです。

このサポニンをゴボウ茶として飲めば、腸管内のコレステロールを排泄し、血中に入れば悪玉コレステロールを吸着分解してくれます。

その結果、「ダイエット効果」と「高脂血症治療」によりアンチエイジングが効果的にうながされることになるのです。

アンチエイジングの秘薬とは何か

ゴボウに含まれるスーパーパワーはサポニンだけではありません。もう一つ、大いに注目したいのが「イヌリン」という成分です。

ゴボウはキク科の二年草で、秋に葉っぱが枯れて、翌年の二月頃に若葉が旺盛に発芽します。乾燥した冬の大地でどうやって発芽のための水分を蓄えることができたのでしょう。イヌリンはムコ多糖類と呼ばれる糖の一種で、非常にすぐれた吸水性を持っています。おむつや生理用ナプキンの中に入っている吸水性ポリマーと同じようなものと考えればいいでしょう。

このポリマーが働くことでゴボウは根の中にたっぷりと水分を保持できるわけですが、こうした働きのあるイヌリンを摂取したらどうでしょうか？

そう。体内の余分な水分をどんどん吸着してくれるため、利尿作用がうながされ、むくみの改善にも効力を発揮してくれることになります。

これに加え、ムコ多糖類は食物繊維の一種ですから、腸の働きを整え、便秘を改善させる効果も期待できるでしょう。

毎日ゴボウを摂取することでコレステロールが分解され、つらいむくみも改善される。顔のむくみが取れればスッキリと小顔にもなれるでしょう。

もちろん、血液もきれいにしてくれますから、ガンやメタボリックシンドローム（動脈硬化や脳卒中、心臓病）などの予防にも最適ですし、サポニンの防菌・防虫効果は免疫の働きを調整し、インフルエンザや風邪などにもかかりにくくなるでしょう。

こう考えていくと、スーパーで買ってきたゴボウの皮をせっせと剝《む》いて、水にひたしてアクを取っていたことがいかにもったいないことだったか理解できるはずです。サポニンやイヌリンという大事な成分を捨ててしまっていたわけですから。

これからは皮を剝かず、アクも取らずゴボウを調理してください。きんぴらゴボウもゴボウサラダもこれでおいしく作れます。

ゴボウの薬効を日常的に摂取し、若返りを図りたいが、毎食ゴボウを食べるのは大変だという人には、「ゴボウ茶」がおすすめです。

次の作り方を参考にしながら、ぜひトライしてみてください。

ゴボウ茶の作り方

1　よく水洗いをして泥を落とし、皮つきのまま包丁でささがきにする

2　ささがきにしたゴボウを水にさらさず、新聞紙の上に広げて半日ほど（夏なら二、三時間）天日干しにする

3　天日干ししたゴボウをフライパンで一〇分ほど、油を使わずに乾煎《からい》りする

4　煙が出てくる寸前でやめ、そのまま急須《きゅうす》に入れ、お湯を注《そそ》げばでき上がり！

二人分の急須を使う場合、乾煎りしたゴボウを一つまみ程度加えるだけで十分。

ほんのりとした香ばしさが感じられますが、ゴボウ特有のにおいやクセはほとんどありません。

職場なら、お茶用パックに大サジ二、三杯のゴボウ茶を入れ、四リットルの湯沸かしポットで沸かせば、皆で一日楽しめるでしょう。

多めに作って容器に入れ冷蔵庫で保存すれば一週間はもちますから、仕事や家事の合間に気軽に飲むようにするといいでしょう。

第七章　二〇歳若返るシンプル生活術

スポーツをすると健康になれない

前章では、アンチエイジングを実現させるための食事の摂り方について、私の実践をふまえながらお話ししてきました。

ここからは食事以外の生活習慣全般に視野を広げ、どんなことを心がけたらいいのか、解説していくことにしましょう。

まず、多くの人の常識になっている「スポーツは体にいい」という点から疑ってみたいと思います。

結論を先にいえば、激しい運動は体にいいどころか「早死に」の原因です。もちろん、ダイエットの効果もありません。

なぜそういえるのか？　運動の際にフル稼働する心臓に目を向けてみてください。

心臓を構成している細胞は「終末分裂細胞」と呼ばれ、子供の頃にすでに細胞分裂を終えているため、たとえ傷ついても補充がききません。

その証拠に、これだけガンが増えているのに心臓のガンってないでしょう？　心臓は細胞分裂をしないためガンができないのです。

あらゆる動物は、生まれてから死ぬまでに心臓が二〇億回拍動します。ゾウは一〇〇年、ネズミは数年しか生きませんが、生涯の拍動回数は同じ二〇億回。寿命の分しか拍動回数を用意していないのです。

これに対して、私たち人間は生涯に二〇億～三〇億回といわれています。

つまり、隣のおじいさんが長生きをしたからといって、自分が心臓病になったときに心臓を移植してもらっても意味はありません。せっかく移植しても、すでに心臓の寿命はほとんど終わりかけているわけですから。

余談ですが、この二〇億～三〇億回という数字はどのように割り出したものなのでしょうか？　実際に数えた人はいないはずです。そこで簡単な計算をしてみました。

通常、大人は一分間に五〇回くらい拍動しますね？

これを一時間に換算すると三〇〇〇回、一日では七万二〇〇〇回、一年間では二五〇〇万回になります。ということは、四年で一億回。四〇年で一〇億回。

つまり、二〇億回というのは平均寿命の八〇歳、三〇億回とはテロメアの限界である一二〇歳なのです。「スポーツは体にいい」と聞いて、普段運動をしない人が急に走ったりすれば、こうした心拍数を無駄に消費してしまうことがわかるでしょう。

実際、「ジョギングの教祖」と呼ばれたアメリカのジム・フィックス氏は、わずか五二歳で心筋梗塞にかかって亡くなっています。それも、日課であったジョギングの最中に路上で突然倒れ、そのまま帰らぬ人になってしまったのです。

運動をしてもやせないのはなぜ

では、どの程度までの心拍数なら心臓に負担をかけないのでしょうか?

アメリカの医師フィリップ・マフェトンは、心臓に負担をかけないための最大心拍数は、普段運動している人なら「一八〇マイナス年齢」。運動していない人は「一七〇マイナス年齢」だといっています。

たとえば、子供の頃からスポーツをやってきた人の中には、「スポーツ心臓」といって一般の人よりも心拍数が少ないタイプがいます。

こういう人が二〇歳であれば、「マフェトンの公式」では、一度に一六〇くらいに心拍数が上がっても構わないことになります。

これに対し、普段運動をしない七〇歳のお年寄りであれば、一〇〇までの心拍数が運動時の限界ということになるでしょう。

私の場合は五六歳ですから、マフェトンの公式では一一四回です。

つまり、少し早足で歩くぐらいがちょうどよい感じでしょうか?

実際、東京駅で新幹線に乗り遅れそうになって駅の階段を駆け上がったりすると、席に着いてからも動悸《どうき》が治まらず、新横浜まで冷や汗と吐き気が止まりません。そんな状態にたびたびなったら、そのうち死んでしまいます。

そもそも、「スポーツをすればやせる」というのは本当でしょうか？

エネルギー代謝には「基礎代謝」と「運動代謝」の二種類があり、スポーツは後者の運動代謝に当てはまります。

この運動代謝によって消費されるのは筋肉の中に蓄積されたグリコーゲンという糖で、内臓脂肪が消費されることはないのです。しかも、グリコーゲンを燃焼させると低血糖が引き起こされるため、激しい空腹感に襲われます。

かくいう私も、三〇代の頃にせっせとスポーツジムに通い、エルゴメーターという自転車を漕いだり、プールで泳いだりしていましたが、トレーニングが終わった頃にはおなかが減って、ごはんをモリモリ食べていました。

減量しようと思って週四回、数ヵ月にわたってトレーニングを続けた結果、六七キロだった体重が七七キロまで増加してしまったのです。

もちろん、心拍数は自転車漕ぎの段階でゆうに一五〇はオーバーしていたでしょうから、心臓にはずいぶんと負担をかけてしまった気がします。

これは誰にでも当てはまることです。健康のためにスポーツを始めても、心拍数が無駄遣いされるだけで、かえってメタボが進んでしまうこともあるのです。

歩くだけで燃える内臓脂肪

では、心臓に負担をかけずに内臓脂肪を燃焼させるような運動があるのでしょうか？

私は「どうしてもスポーツをやりたい」という人に、こうお話しします。まずいつも通っているスポーツジムまで歩いていってください。そして、ジムに着いたら中まで入らず、また歩いて家まで帰ってください。

――これは冗談でいっているのではありません。

なぜなら、これなら心拍数が上がらないからです。つまり、心臓に負担をかけずに「第二の心臓」を使って運動をするのです。

血液を全身に送り出すのは心臓の働きですが、末梢から心臓へと血液を運んでくれる機能はありません。そこで私たちは、歩くことによってふくらはぎの筋肉が収縮して、そのポンプ作用によって末梢に滞《とどこお》っている血液を心臓へと送り返しています。

このふくらはぎこそが「第二の心臓」です。

「エコノミー症候群」という言葉がありますが、飛行機に半日以上座りっぱなしでいると足の静脈の中の血液はドロドロに固まって血栓を作ります。これが肺に飛ぶと肺塞栓、脳に飛べば脳梗塞で死にいたります。

これは飛行機だけの問題でなく、寝たきりのお年寄りや車に乗ってばかりで歩かない人にも起きていることです。激しい運動をしても筋肉中のグリコーゲンが燃焼するだけだといいましたが、息が上がらない程度にウォーキングを続けていけば、基礎代謝が高まり、おなかにたまった内臓脂肪が消費されていきます。

そう、寿命を縮めずにメタボを改善していくことができるのです。こうして考えれば、歩くということがいかに大事なことであるかがわかるでしょう。

毎日しっかり歩いてさえいれば、ふくらはぎが自然と刺激されますから、ポンプ作用がしっかり働いて血液の流れが滞ることがありません。

もちろん血流がスムーズであれば、女性に多い足のむくみ、冷え、肩こりなどに悩まされることもないでしょう。

電車で吊り革につかまらないと

歩くことの大切さは理解できたかと思いますが、かくいう私自身、毎日しっかりとウォーキングをする時間がありません。

そこで、日頃から目的を持って過ごすことを心がけています。

まず、誰よりも早く出勤します。朝一番に歩くためです。

ウォーキングの際の注意点としては、「細道」「裏道」「日陰道」を歩くこと。少し遠回りしてでも排気ガスの心配がなく、緑が多くて直射日光を避けやすい裏道を通るようにすること。夏の日差しが強いときなどは、日傘を差して紫外線を浴びないようにしてください。

日傘については、女性だけでなく男性もぜひ心がけてほしいことです。

男性が日傘を差しているとヘンな目で見られることがありますが、第五章でもお話ししたように、それがシミを作らない、つまり細胞の老化を防ぐ一番の秘訣にほかなりません。気にしたりせず習慣にするといいでしょう。

仕事を持っていない人は新聞を取るのをやめ、ペットボトルも冷蔵庫に置かないようにして、朝起きたら近くのコンビニまで買いに行ってください。

たったこれだけのことでも、毎日続けると、朝から心地よく過ごせるようになります。

また、電車やバスに乗るときは座らない。吊り革を持たないで、それでもよろけないように二本足で必死にバランスを取るようにすること。

ジムやエステなどによく「バランスマシーン」という機器が置いてありますが、わざわざお金をかけてこんな機器に乗らなくても、これだけでバランス感覚は養われ、ふくらはぎの筋肉を効果的に鍛えることができます。

電車の中で席を取られたときは「悔しい」と思わずに、「ああこの人は早死にだ」と思うようにすればいいのです。

長距離の電車に乗るときは、背もたれに寄りかからず背筋をピンと伸ばして座るようにすると、代謝が上がり腰痛の予防になります。

時間を作ってジムでトレーニングするよりも、こうして日常生活の中で体を動かす工夫をしたほうが効率的で、理にも適《かな》っています。

運動不足に悩んでいる人は、体を動かすことを特別なことのように考えがちですが、息が上がるような激しい運動をする必要はまったくありません。まずは日常生活を振り返り、体を動かせる場面を作っていくことのほうが大事なのです。

肩こり解消に「四足歩行」

歩かないと足の静脈に血液がたまって血栓を作る。これは自分で歩かないと改善できないということがおわかりになったでしょうか?

じつは、これと同じことが肩こりにもいえます。

肩こりで悩んでいる人はたくさんいますが、マッサージをしてもらっているうちはなかなか良くはなりません。

その理由は「筋肉痛」と「肩こり」の違いにあります。筋肉痛の原因は「使い過ぎ」、肩こりの原因は「使わな過ぎ」であるからです。

肩甲骨は上半身の「骨盤」です。人類の祖先が四足歩行をしていたときに、上半身を支えていたのが肩甲骨周囲の筋肉なのです。

体重の二分の一を支えなければならないわけですから、この一帯には多くの筋肉があります。人類が進化して二足歩行をするようになってからも、私たちの祖先は肩甲骨周囲の筋肉を使って畑を耕したり、薪《まき》を割ったりしてきました。

つまり、昔の人たちのように上半身（肩甲骨）をしっかり使って生活していれば、肩こりになるようなことはありません。

ところが、現代人はデスクワークばかりで上半身の筋肉を使わなくなってしまったため、古い血液がたまりやすくなり、肩こりが生じるようになりました。

ということは、「四足歩行」を心がけるようにすることで肩こりに悩まされることはなくなるはずです――ちょっとビックリされたかもしれませんが、現代人が四足歩行でできることといえば、「床を拭く」ということです。

昔の人たちは、朝早く起きて家中の床を乾拭《からぶ》きすることで、上半身の筋肉を効率よく使っていました。それと同じように家の床拭きを日課にしていきましょう。

実際にやってみるとわかりますが、床は思った以上に汚れています。

家の端から端まで拭いていくとタオルが真っ黒になりますし、廊下やお風呂場、玄関なども拭いていくと、冬でも汗がしたたり落ちるくらい、いい運動になります。

これだけ上半身を動かせば肩の一帯の血流も良くなり、カチカチに固かった筋肉も柔らかくなります。ひどい肩こりも徐々に解消されていくでしょう。

また、肩甲骨を効果的に動かすという点では、窓拭きをするのもいいでしょう。四十肩、五十肩で肩があまり上がらないという人はなおさらのこと、毎日少しずつできる範囲を広げていくと、とてもいいリハビリになります。

世の中にはいろいろな健康法や体操がありますが、そのほとんどが対症療法で、その場しのぎの方法に過ぎません。

病気が何に起因するのか？ そして、自然界の動物はどうやって生活しているのか？ この点をよく考えれば、おのずと解決方法は見つかります。

大事なのは、薬に頼らず体の内面から機能回復を図るということ。こうした工夫ができる人ほど若さと健康を保つことができるのです。

冷え性の人こそ体を冷やす

肩こりと並んで訴えが多いのは「冷え」と「むくみ」でしょう。どちらも、肩こり同様に血流を良くすることで改善されていきますが、冷えに関しては「間違った生活習慣」によって症状が長引くケースも少なくありません。

たとえば、「冷え性の人は体を温めたほうがいい」といわれていますが、実際には寒いときのほうが、身体を内面から温めることができます。

意外に思うかもしれませんが、冷えるからといって厚着をしたり、暖かい部屋で過ごしたりするほど、冷えは進んでしまうものなのです。

内臓脂肪は寒さの刺激によって燃焼します。ダイエットのために半身浴やサウナに入るという人がいますが、温めても内臓脂肪は燃焼しません。

実際、昔から「頭寒足熱」という言葉がよく使われてきました。これは頭、とくに首回りを薄着にしなさいということです。

冬に帽子をかぶり、マフラーやタートルネックのセーターを着る人も多いですが、これなどはもってのほか。

体を温めたければ、まずシャツの前をはだけるようにすること。これによって脳内にある体温調節中枢に寒さを感知させ、内臓脂肪を燃焼させるよう命令を出します。

ただこのとき血液は内臓に集まり、末梢の血管が収縮しますから、足を温める必要があるのです。

もちろん、厚い靴下をはいてアンカで温めろというのではありません。よく歩くことによって、ふくらはぎのポンプ作用で血流を良くすることが大切なのです。

「乾布摩擦」の秘密

このほかにも、朝起きたら風呂場でヒジから先とヒザから下に冷水のシャワーをかけて、乾布摩擦をするのも効果的です。

なぜか。冷たい水で洗い物をすると手が真っ赤になりますね。これは、手を冷やすことで血管が収縮し血液が行き渡らなくなると、この状態をなんとかしようとして毛細血管が拡張し、そうして再び血液が流れ始めることで手が真っ赤になるのです。しもやけと同じ原理です。

また、前章で紹介したゴボウ茶にも血流を改善し、冷えを和《やわ》らげる効果があります。

コーヒーや日本茶のようにカフェインが含まれる飲料には血管を収縮させる作用があるため、飲み過ぎると血流が悪くなり、体が冷えやすくなります。冷え性に悩んでいる人はこうしたカフェインの摂取を減らし、その代わりにゴボウ茶を飲むようにしたほうが症状がスムーズに改善されるでしょう。

なお、むくみに関しては歩くことが一番の解消法ですが、先述の通り、ゴボウ茶に含まれるイヌリンという成分には体にたまった余分な水分を排泄させる働きもあります。こまめに飲めば冷え性だけでなく、むくみの改善もうながされやすくなるはずです。

「風邪をひいたら安静」の間違い

現代人を見て極端だと思うのは、息が上がるような激しい運動をする一方で、風邪をひいたら仕事や学校を休み安静にして過ごそうとすることです。

医者からは安静にするだけでなく、お風呂も入らないほうがいいといわれますね。

しかし、そうやって体をいたわることが本当に風邪の回復につながるのか、ここまでお読みになった方ならば疑問に感じるでしょう。

これも間違った健康知識に振り回された結果といえますが、じつは風邪をひいたからといって安静にする必要などないのです。

もちろん、お風呂に入っても構いません。

ジッとしていると、体中の血液の二〇パーセントが血管の中で固まったままになりますから、血流が滞って、かえって創傷治癒が進まなくなるからです。

私が子供のときは、「風邪をひいたら汗をたくさんかいたほうがいい」といわれ、すごく厚着をして寝かされたものですが、そうすると熱中症とよく似た症状が起こり、脱水を起こしてしまいます。

子供の「熱性けいれん」は、汗で血中の塩分が失われた結果。天井がぐるぐる回るのは、脱水で脳に血液が送られなくなって生じる「脳疲労」です。

体を温かくすることで風邪が治まるわけではありません。風邪をひいたときこそ薄着をして、まずは血流を良くするように心がけましょう。

これは、ガンにかかった場合も同様です。

一昔前は「ガンになったらとにかく安静にするように」といわれていましたが、手術の後にずっとベッドで寝てばかりいたら血流が滞り、その部分にガン細胞が滞留し、将来的に再発しやすくなります。

骨折してもギプスをすれば、次の日から動き回ることはできますね？

私たちの体は動き回ることで血流が良くなり、回復がスムーズになるのです。

できることなら、普段からあまり厚着をせず、こまめに体を動かすことで、血流の滞りを防ぐようにしてください。

薄着の生活に慣れてくると内臓脂肪が燃焼しやすくなるため、寒い日にも体が内側から温まっていくのが感じられるようになります。

私自身、冬でもTシャツの上にジャージくらいの軽装で、マフラーも巻かず、コートも羽《は》織《お》らずに出勤することがよくあります。

また、普段から上着の前をはだけて、外気に当てるようにしています。皆さんも自分なりに工夫して、こうした「温めない生活」を取り入れるようにしてください。

長く寝るだけでは健康になれない

「間違った健康知識」ということでいえば、睡眠に関してもおかしな常識がずいぶんとまかり通っているのを感じます。

まず指摘をしたいのは、「睡眠は長く取ればいいわけではない」ということです。

もちろん、睡眠不足はアンチエイジングを妨げるマイナス要因の一つです。しっかりと眠ることは大事ですが、ちょっと考えてみてください。

いくら睡眠が大事だからといって、「夜中の三時に寝て、朝一〇時にようやく目が覚めました」という睡眠の取り方が体にいいと思いますか?

もちろん、そうはいえないでしょう。大事なのは「時間」ではなく「質」だからです。

では、どのようにして睡眠の質を高めればいいでしょうか？　そこでポイントとなってくるのが、睡眠を取る「時間帯」です。

睡眠には、「レム睡眠」と「ノンレム睡眠」の二種類があります。

レムとはＲＥＭ（Rapid Eye Movement）といって眼球が急速に運動している状態を指します。明け方に赤ちゃんの顔を見ると、眠ってはいますが、目玉はグリグリと動いていますね。レム睡眠のときは、寝返りを打ちながら夢ばかり見て、一時間おきに目が覚めます。このとき、脳はずっと働き続けているのです。

これに対して寝入りばなのノンレム睡眠は、こうした眼球運動が一切ない、泥のように眠っている状態です。もちろん、脳は完全に休息していますし、夢も見ません。

じつはこの熟睡時間＝ノンレム睡眠のときに、脳下垂体から「成長ホルモン」と呼ばれる、若返りをうながすホルモンが分泌《ぶんぴつ》されているのです。

成長ホルモンは、注射をすると体がどんどん若返るということで、数十年前にアメリカでブームになり、じつはこれを機に「アンチエイジング」という言葉が生まれました。しかし、わざわざ高いお金を払って注射などしなくても、私たちの体からもともと分泌されていたわけです。

ただ、成長ホルモンはノンレム睡眠のときにしか分泌されません。具体的にいえば、それは「夜の一〇時から夜中の二時まで」の時間帯です。

この「睡眠のゴールデンタイム」の間に起きていたら、せっかくの成長ホルモンの恩恵をまったく受けることができません。いくらたっぷりと睡眠を取ろうが疲れが抜け切らず、知らないうちに老化が進んでいくことになるのです。

睡眠の「ゴールデンタイム」とは

この「睡眠のゴールデンタイムに寝る」ということは、もっとわかりやすくいえば、「早寝早起きを習慣にする」ということです。

この時間にしっかり寝ていれば、成長ホルモンの働きによって子供は身長が伸びます。文字通り、「寝る子は育つ」のです。

また、大人であれば脂肪が燃焼され、そこから筋肉が作られます。

これは「たんぱく同化作用」と呼ばれ、メタボの解消につながっていきます。ビックリする人も多いと思いますが、寝る時間帯を守るだけでも、体がスリムで筋肉質になっていくのです。

こうした「たんぱく同化作用」が起こるのは、動物は冬眠しているときにこの成長ホルモンの力で内臓脂肪を燃焼させ、同時に筋肉を維持しているからです。この働きがなければ、春になって起き上がることができないでしょう。

このほかにも、成長ホルモンが分泌されることでシミの原因になっているメラニン色素が回収され、肌が白くなることもわかっています。

日中、メラニン色素が放出されると肌は黒くなりますが、ゴールデンタイムにしっかり眠れば、肌の白さは保てるのです。

創傷治癒効果もありますから、皮膚や粘膜、血管にできた傷も眠っているうちに修復され、炎症や潰瘍、あるいはガンが生まれても、すみやかに治癒します。

こうして考えていけば、この時間帯に眠らないことがいかにもったいないことなのか理解できるでしょう。

睡眠時間を増やすのではなく、数時間ずらすだけで健康状態が大きく変わるのですから、忙しい人でも工夫すればうまく調整できるはずです。

睡眠時間を六時間取っている人が一番長寿だといわれていますから、夜九～一〇時台に寝て朝の三～四時くらいに起きる生活がベストです。

私の場合、一〇時には寝て三時くらいに起きる生活をもう何年も続けていますし、この原稿も明け方に書いています。レム睡眠で疲労も回復し、誰にもじゃまされず、一番集中できる時間なのです。

もちろん、こうした生活を続けることで体調管理が容易になり、自分の若さが維持できていることを強く実感します。

夜遅くまで仕事するのは当たり前という人も、一念発起《いちねんほっき》して生活サイクルを切り替え、出社までの朝の時間帯を有効活用するようにしてください。初めは大変かもしれませんが、続けていくうちに体調が一変し、日中の仕事もはかどるようになっていきます。

人づきあいも大切ですが、意識の持ち方次第でいくらでもやりくりはできるでしょう。効果が実感できるようになってくれば、夜にはあまり用事を入れず、まっすぐ帰ってごはんを食べ、すぐに眠る——こうした生活が定着していくはずです。

早起きで幸せな気分になれるわけ

早寝早起きの生活を皆さんにおすすめしたい理由は、まだほかにもあります。

まず注目してほしいのは、早起きをすると「幸せホルモン」と呼ばれるセロトニンが脳から分泌されるという点です。セロトニンは太陽の光を浴びると活性化しますが、中でも日の出の時間帯がベストであるといわれているのです。

つまり、朝起きたときにお日様を拝むことで幸せな気分になり、精神的にも安定して、その日一日を元気に過ごしていくことができるということです。

うつ病や生理不順などがなかなか改善されないという人も、夜型の生活をやめて早起きにトライすれば、症状が緩和されます。

それだけではありません。このセロトニンは夜になるとメラトニンというホルモンに変化します。セロトニンが「幸せホルモン」であるのに対し、このメラトニンは「睡眠ホルモン」と呼ばれています。私たちはメラトニンが分泌されることで眠くなり、熟睡ができるのです。

夜になるとメラトニンの力でぐっすりと眠れ、朝になって窓から日の光が差し込んでくると今度はセロトニンの力で幸せな気分になれる——そう考えると、生活リズムを整えることがいかに大事なことであるか理解できますね。

たとえば、仕事でイヤなことがあったとしても、夜の時間にメラトニンがしっかり分泌されていれば布団《ふとん》に入ってすぐに眠れ、そうした記憶もどこかに消えてしまいます。朝になるとセロトニンが出てきますから、完全にリセットされてしまうでしょう。

逆に生活リズムが乱れていればホルモンバランスもおかしくなりますから、布団に入ってもなかなか寝つけず、イヤな記憶がどんどん増幅されます。そして、朝の目覚めが悪ければ、その記憶をさらに引きずってしまうことになります。

これではいくら頑張っても、思うように人生が進んでいかないはずです。

そうした悪循環から抜け出すためにも、まずは日の出と一緒に起きる習慣をつけ、お日様に向かって「今日も一日よろしくお願いします」と手を合わせる。

それから家のまわりを散歩したり、簡単な体操をしたりして徐々に体を動かしていけば、気持ち良く一日を過ごしていけるはずです。

「幸福の総量」は決まっている

幸せホルモンであるセロトニンには、もう一つとても興味深い性質があります。

それは、一日に分泌される量が決まっている、ということです。

努力をすればたくさん出るわけでもなく、努力が足りないとあまり出ないというものでもない、どんな人でも量自体は変わらないといわれているのです。

もちろん、一日の分泌量が決まっているということは、一生に分泌される量も決まっているということになります。これは何を意味するでしょうか？

たとえば、ものすごく楽しいことがあったとしましょう。

そのとき私たちはあふれるような幸福感をおぼえますが、それはずっと長続きはしません。「祭りの後の寂しさ」という言葉があるように、楽しかったあとには、なんともいえない寂しさを感じるでしょう。

セロトニンが一気に分泌されて、残量がなくなってしまったからかもしれません。

ただ、そうした寂しさもずっと続くわけではないですね。

セロトニンは使い果たしてもまた徐々にたまっていきますから、イヤなことがあってもやがて気持ちは吹っ切れ、またやる気が出てくるものなのです。

このように考えていけば、人生はいいこともあれば悪いこともある、幸せも不幸せも交互にやってくるということが理解できるのではないかと思います。

この世の中には不幸ばかりの人も、幸福ばかりの人もいないのです。

ただ、セロトニンは出続けていますから、生涯を振り返ったとき「少し幸せ」な気分が残ります。「いろいろなことがあったけれど、いい人生だった」ということになるのでしょう。

つまり、幸せはたくさんなくてもいいのです。

「ほどほどの幸せ」が私たちに与えられた幸福の量であると受け止められれば、まわりの出来事にあまり振り回されなくなります。

この「ほどほど」の意味を知ることが、心と体のバランスが取れた人間らしい生き方につながっていくのではないでしょうか。

あとがき――危機のときに現れる「生命力遺伝子」とは何か

本書を企画したのは二〇一〇年のことです。ほぼ執筆も終わり編集にさしかかろうとした二〇一一年三月一一日の午後、東日本大震災が起こりました。

被害は地震の直接被害にとどまらず、引き続いて起こった大津波、過酷な避難所生活、精神的ストレスへと拡大していきました。そして、とどめを刺したのが福島第一原子力発電所の事故でした。

まさに国家存亡の危機といえる異常事態に、日本全体に厭世観《えんせいかん》が広がり、産業は停滞し、不況は一層深刻なものとなりました。

そのときに私の脳裏に浮かんだのは人間の持つ「生命力」です。

人類の歴史は、天変地異、飢餓、感染、戦争の繰り返しで、そのたびに多くの人命が失われてきました。

にもかかわらず、人類は生き延びています。人類はどうして存亡の危機を乗り越えることができたのでしょう?

それは、人類が進化の過程で「生命力遺伝子」を獲得したからだと私は考えています。

もちろん、現代に生きる私たちも、この「生命力遺伝子」を受け継いだ、危機を乗り切れる力を持った人類の子孫なのです。

いま、そのことを思い出す時機に来ているのではないでしょうか?


この本でもお話ししてきたように、こうした遺伝子の一つが、飢餓との闘いに対応するために生まれた「倹約遺伝子」です。

この「倹約遺伝子」を持った人類は、少ない食べ物の中から、効率よく多くの栄養を吸収し、脂肪として蓄えることのできる体質を手に入れました。

ですから、少し食べてもすぐ太る皆さんは、人類の進化した姿なのです。二〜三日食べなくてもどうということはありません。

それどころか、私たちは飢餓のときこそ発現する「生命力遺伝子」も新たに獲得しました。なんと飢餓状態になるとこの遺伝子が活性化して、全身の細胞にある遺伝子の異常をすべて調べて修復してくれるのです。

この「生命力遺伝子」は、延命がもたらされることから「延命遺伝子」とも呼ばれます。

また、動物実験で腹六分目で摂生したあらゆる動物の寿命が一・五倍に延長したことから、「長寿遺伝子」とも呼ばれています。

私たちの生きる力は、危機の中で培《つちか》われ、こうして受け継がれてきたのです。

この本で私がおすすめしてきた生活習慣を思い出してみてください。

早寝早起き（睡眠ゴールデンタイムの活用）
完全栄養の摂取と一汁一菜で腹六分目の食事
薄着をして身体を内面から温める
朝一杯の濃いめのゴボウ茶
たくさん歩いて電車では座らない
スキンシップや感謝の気持ちを大事にする

どれもアンチエイジングに役立つことばかりですが、じつは「生命力遺伝子」を活性化させるための不可欠な要素でもあります。

平時であれば肥満やメタボリックシンドローム、美容や老化の防止などにプラスになることが、そのまま非常時に心がけたい生き方につながるのです。

どの時代の、どのような状況にあっても、私たちの生命を生かし、支えてくれている働きそのものが変わるわけではありません。

この生命の働きを活かせるかどうかは、一人一人の生き方にかかっています。心配することはありません。ほんの少しだけ摂生する、このことを楽しみながら、自分の体に宿った生命力を信じ、一歩一歩、前に進んでいきましょう。

繰り返しますが、人類の歴史は一度たりとも楽だったことはありません。しかし、私たちの祖先はその苦難をたくましく乗り越えてきました。

あの戦後の焼け跡から世界第二位の経済大国を築いたのも私たちです。その源が、危機のときこそ発現する「生命力遺伝子」なのです。ピンチをチャンスととらえ、自らに宿った生命力を発揮させていくきっかけへと変えていきませんか？

この本を通じて、多くの人が本当の若さと活力を手に入れ、いまよりもっと充実した人生を送れることを願っています。

二〇一一年一〇月

南雲《なぐも》吉則《よしのり》

南雲吉則

1955年、東京都に生まれる。医学博士。1981年、東京慈恵会医科大学卒業。同年、東京女子医科大学形成外科入局。癌研究会附属病院外科医、東京慈恵会医科大学第一外科乳腺外来医長を歴任。1990年、医療法人社団ナグモ会ナグモクリニックを開設。現在、同会理事長、ナグモクリニック院長。東京慈恵会医科大学外科学第一講座非常勤講師、韓国東亜医科大学客員教授、中国大連医科大学客員教授なども務める。また、分かりやすい解説が大好評となり、テレビ番組に多数出演。

著書には、ベストセラーになった『ゴボウ茶を飲むと20歳若返る!』(ソフトバンククリエイティブ)、『錆びない生き方』(PHP研究所)などがある。

講談社+α《プラスアルファ》新書 576-1 A

50歳《さい》を超《こ》えても30代《だい》に見《み》える生《い》き方《かた》

「人生100年計画」の行程表

南《な》雲《ぐも》吉則《よしのり》 ©Yoshinori Nagumo 2011

2011年10月20日第1刷発行
2012年 2 月23日第10刷発行

発行者——— 鈴木 哲
発行所——— 株式会社 講談社
東京都文京区音羽2-12-21 〒112-8001
電話 出版部(03)5395-3532
販売部(03)5395-5817
業務部(03)5395-3615

デザイン——— 鈴木成一デザイン室
本文組版——— 朝日メディアインターナショナル株式会社
カバー印刷——— 共同印刷株式会社
印刷——— 慶昌堂印刷株式会社
製本——— 牧製本印刷株式会社

定価はカバーに表示してあります。

落丁本・乱丁本は購入書店名を明記のうえ、小社業務部あてにお送りください。

送料は小社負担にてお取り替えします。

なお、この本の内容についてのお問い合わせは生活文化第三出版部あてにお願いいたします。

本書のコピー、スキャン、デジタル化等の無断複製は著作権法上での例外を除き禁じられています。本書を代行業者等の第三者に依頼してスキャンやデジタル化することはたとえ個人や家庭内の利用でも著作権法違反です。

Printed in Japan
ISBN978-4-06-272738-9

2023.8.17

講談社+α新書

50枚で完全入門 マイルス・デイヴィス　中山康樹
ジャズ界のピカソ、マイルス！ 膨大な作品群から生前親交のあった著者が必聴盤を厳選！
838円 535-1 D

日本は世界4位の海洋大国　山田吉彦
中国の5倍の海、原発500年分のウランが毎年流れ込む。いま資源大国になる日本の凄い未来
838円 536-1 D

北朝鮮の人間改造術、あるいは他人の人生を支配する手法　宮田敦司
「悪の心理操作術」を仕事や恋愛に使うとどうなる!? 知らず知らずに受けている洗脳の恐怖
838円 537-1 B

ヒット商品が教えてくれる 人の「ホンネ」をつかむ技術　並木裕太
売れている商品には、日本人の「ホンネ」や欲求や見栄をくすぐる仕掛けがちゃんと施されていた！
838円 538-1 C

ボスだけを見る欧米人 みんなの顔まで見る日本人　増田貴彦
日本人と欧米人の目に映る光景は全くの別物!? 文化心理学が明かす心と文化の不思議な関係！
876円 539-1 C

人生に失敗する18の錯覚 行動経済学から学ぶ想像力の正しい使い方　加藤英明　岡田克彦
世界一やさしい経済学を学んで、人生に勝つ!! 行動経済学が示す成功率アップのメカニズム！
876円 540-1 A

人が変わる、組織が変わる！ **日産式「改善」という戦略**　武尾裕司　井熊光義
「モノづくり」の問題解決力は異業種にもあてはまる？ 日産流の超法則が日本の職場を変える
838円 541-1 C

ジェームズ・ボンド 仕事の流儀　田窪寿保
英国に精通するビジネスエキスパートだから書けた「最強の中年男」になるためのレッスン
838円 542-1 C

なぜ、口べたなあの人が、相手の心を動かすのか？　北原義典
人間の行動と心理から、「伝わる」秘訣が判明！ 強いコミュニケーション力がつく！
838円 543-1 A

死ぬまで安心な有料老人ホームの選び方 子も親も「老活！」時代　中村寿美子
人生最後の大きな買い物となる老後の住まい。老い支度のチャンスを逃さず安心を摑め！
838円 544-1 D

コスト削減の罠　村井哲之
なぜ会社のコスト削減は失敗するか。3つの罠を回避し売上減でも利益UPを実現する極意！
838円 545-1 C

表示価格はすべて本体価格（税別）です。本体価格は変更することがあります

講談社+α新書

生命保険「入って得する人、損する人」 坂本嘉輝
トラブルになるケースが続発。保険のプロ中のプロが教える「納得できる生保選び」のコツ！ 838円 499-1 C

O型は深夜に焼肉を食べても太らない？ 血液型別「デブ」にならない食の法則 中島旻保
毒を食べなきゃ「勝手に」やせる？ 常識を覆す究極の技術を伝授。食が変われば人生も変わる！ 838円 500-1 B

人を惹きつける技術 カリスマ劇画原作者が指南する売れる「キャラ」の創り方 小池一夫
『子連れ狼』の原作者が説く、プレゼン論&対人関係論&教育論など門外不出の奥義の数々！ 838円 501-1 C

「離活《リカツ》」——終わりの始まりを見極める技術 原誠
弁護士が戦略的に指南する〝離活のススメ〟。準備、画策、実行で、将来を「よりよく」する 838円 502-1 A

日本は世界5位の農業大国 大嘘だらけの食料自給率 浅川芳裕
食料危機と農家弱者論は農水省のでっち上げ！年生産額8兆円は米国に次ぐ先進国第2位だ!! 838円 503-1 C

鼻すっきりの健康学 花粉症に負けない知識と「粘膜一本注射療法」 呉孟達
東洋医学も修めた専門医が教える鼻の重要性、花粉症を発症させない秘訣と画期的最新療法！ 838円 504-1 B

語学力ゼロで8ヵ国語翻訳できるナゾ どんなビジネスもこの考え方ならうまくいく 水野麻子
短大卒、専門知識なしから月収百万の翻訳者になったマル秘テクを公開！ プロになるコツ！ 838円 505-1 C

記憶する力 忘れない力 立川談四楼
なぜ落語家は多くの噺を覚えられるのか？ 芸歴四十年の著者が「暗記の真髄」を語り尽くす！ 838円 506-1 C

糖尿病はご飯よりステーキを食べなさい 牧田善二
和食は危険だがお酒は飲めるほうが治療しやすい。血糖値の三文字にピンときたら即、読破！ 838円 507-1 B

世界一の子ども教育モンテッソーリ 12歳までに脳を賢く優しく育てる方法 永江誠司
脳トレ不要!! 五感を育めば、脳は賢く育つ！キレるも、無気力も解消する究極のメソッド!! 838円 508-1 C

和風ヨーガ 日本人の体と心に合わせた健康術 ガンダーリ松本
気になる場所にやさしく触れるだけで超簡単！いつでもどこでも手軽にできる究極の「秘技」 876円 509-1 B

表示価格はすべて本体価格（税別）です。本体価格は変更することがあります

講談社+α新書

家計株式会社化のススメ
藤川 太
「サラリーマンは二度破産する」は間違っていた。すでに破綻状態の家計を救う株式会社化術
838円 558-1 D

「キャリアアップ」のバカヤロー 自己啓発と転職の"罠"にはまらないために
常見陽平
『就活のバカヤロー』の著者が、自らの体験を交えてキャリアアップの悲喜劇を鋭く分析!
876円 559-1 B

「運命」を跳ね返すことば
坂本博之
「平成のKOキング」が引きこもり児童に生きる勇気を与えた珠玉の名言集。菅原文太さん推薦
838円 560-1 A

人の5倍売る技術
茂木久美子
車もマンションも突然、売れ始める7つの技術。講演年150回、全国の社長が啞然とする神業
838円 561-1 C

日本は世界1位の金属資源大国
平沼 光
膨大な海底資源と「都市鉱山」開発で超高度成長が到来!! もうすぐ中国が頭を下げてくる!
838円 562-1 C

異性に暗示をかける技術 「即効魅惑術」で学ぶ7つのテクニック
和中敏郎
恋愛も仕事もなぜか絶好調、言葉と仕草の魔術 モテる人は永遠にモテ続ける秘密を徹底解説!
838円 563-1 A

ホルモンを制すれば男が蘇る 男性更年期克服最前線
桐山秀樹
イライラ、不眠、ED——その「衰え」は男性ホルモンのせい。「男」を復活させる最新健康法!
838円 564-1 B

ドラッカー流健康マネジメントで糖尿病に勝つ
桐山秀樹
経営の達人・ドラッカーの至言を著者が実践、「イノベーション」と「マーケティング」で糖尿病克服
838円 564-2 B

所得税0《ゼロ》で消費税「増税」が止まる世界では常識の経済学
相沢幸悦
増税で財政再建は絶対にできない! 政治家・官僚の嘘と世界の常識のホントを同時に学ぶ!!
838円 565-1 C

呼吸を変えるだけで健康になる 5分間シクソトロピーストレッチのすすめ
本間生夫
オフィス、日常生活での息苦しさから、急増する呼吸器疾患まで、呼吸困難感から自由になる
838円 566-1 B

白人はイルカを食べてもOKで日本人はNGの本当の理由
吉岡逸夫
英国の300キロ北で、大量の鯨を捕る正義とは!? この島に来たシー・シェパードは何をしたか?
838円 567-1 C

表示価格はすべて本体価格(税別)です。本体価格は変更することがあります

2023.8.17